IK HEB U LIEVER LIEF

EEN DOCHTER, EEN MOEDER EN ALZHEIMER

Marga van Doorn

Ik heb u liever lief

Een moeder, dochter en Alzheimer

UITGEVERIJ ASPEKT

IK HEB U LIEVER LIEF

EEN DOCHTER, EEN MOEDER EN ALZHEIMER

Amersfoortsestraat 27, 3769 AD Soesterberg, Nederland
info@uitgeverijaspekt.nl - http://www.uitgeverijaspekt.nl

Omslagontwerp: Anipa Baitakova
Binnenwerk: Uitgeverij Aspekt Graphics

ISBN: 978-94-6153-380-7
NUR: 130

VOORWOORD

Nee. Niet nog een boek over Alzheimer. Het moest geen boek worden. Wat had ik nog toe te voegen aan de vele, vaak goede boeken die al verschenen waren over deze afschuwelijke ziekte? Ik had gewoon de behoefte om de laatste jaren van mijn moeder en mij samen op te schrijven. Sinds mijn jeugd is schrijven een van mijn grootste uitlaatkleppen. Zoals een ander graag zingt of sport. En dus begon ik gewoon. Maar gaandeweg merkte ik iets bijzonders op. Niet alleen bracht Alzheimer mijn moeder terug naar het verleden, maar mij ook. Oude laatjes waarvan ik dacht dat ze voorgoed waren gesloten, gingen opeens weer open; veel zeer kwam naar boven en ook oude rollenpatronen staken de kop op. (Overigens, niet alleen mijn vroegere problemen met mijn moeder. Ook de relatiepatronen met mijn zus kwamen scherper in beeld. Mijn zus en ik hadden tot dan toe een close relatie gehad met het 'normale' gekissebis zoals dat tussen zusters voorkomt. Nu leken de moeilijkheden en verschillen die we doorgaans snel als een klein, niet al te bedreigend vuurtje konden uitdoven, heftiger dan ooit op te laaien en soms niet meer te blussen. Dit kwam vooral heel duidelijk naar voren na het overlijden van mijn vader. Hij stierf niet lang nadat bij mijn moeder de diagnose Alzheimer was gevallen.)

Nu mijn moeder alleen was, werd het contact tussen haar en mij – noodgedwongen – intensiever. Ik schrok van de oude, toch soms nog hartverscheurende pijn die zij bij mij kon oproepen. Ik begreep dat de Alzheimer van mijn moeder een misschien wel laatste mogelijkheid bood om een aantal belangrijke lessen te leren. Toen ik hierover sprak met een hulpverleenster, werkzaam in de geriatrie, vertelde ze mij dat mijn ervaring die van velen was.

Je komt jezelf tegen. Vooral omdat de ander die je misschien lang verantwoordelijk hebt gehouden voor je ellende en/of van wie je nog altijd dingen verwacht (begrip, excuses etcetera) er niet meer op aan te spreken is, maar er wel is, in een vorm – bijna verworden tot kind – die jouw volledige acceptatie vraagt. De ouder is zo een van de mooiste spiegels geworden die zuiver en geheel alles teruggeeft wat in jou zelf leeft en om heling vraagt. Welke levenssituatie biedt je deze kans?

Terwijl ik me in dit proces bevond, las ik op de achterkant van een folder over Alzheimer: "Je kunt met deze ziekte omgaan, als je met jezelf in het reine bent gekomen." Zo is het zeker. Maar liever nog draai ik het om: door Alzheimer word je met jezelf geconfronteerd, de ziekte laat je feilloos zien waar je staat, zodat je met jezelf in het reine kunt komen.

Marga van Doorn

HOOFDSTUK 1

DE DEMENTIETEST

Haar pas gewassen witte krullen dwarrelen als grote natte sneeuwvlokken op de ziekenhuisvloer. "Niet te kort, he?" "Nee, niet te kort, mam." Ze zit doodstil. Haar grote grijsblauwe ogen staren in vertes die ik niet ken. Ze is mager geworden. Haar broek fladdert om haar benen. Hij spant alleen om haar heupen die breed zijn gebleven. Ik knip en knip. Geen enkel verzet, maar totale overgave. Zo ken ik mijn moeder niet. Het zonlicht valt in repen over haar kruin, haar hoofdhuid schemert er zachtroze als een fris babyvelletje doorheen. "De zuster zei gisteren nog: wat heeft u toch mooi haar. Zo dik." "Ja, mam." Ik pak de gevallen krullen op en vouw ze in een papieren handdoekje. Ik besluit ze te bewaren. Als ik het pakketje een paar dagen later openvouw, ontsnapt er een mengeling van geuren: lavendel in de ochtenddauw en zoete kamille.

Als een vorstin zit zij in een gele leren stoel die met een druk op een elektrische knop alles doet wat zij zegt. Ze praat aan een stuk door. "Die mensen hier. Vreselijk. Die man zit de hele dag te spelen met zijn servet. Je zult zo worden. Ik heb er gisteren om zitten huilen. Als je al niet gek bent, dan word je het hier wel." Ik draai me om. Een oude man legt een servet in almaar repeterende beweging van links naar rechts. Totdat het lapje als een witte vogel ter aarde stort. Ik ga naar hem toe, en geef hem zijn vogel terug. "Dank u. Je bent een lieve schat", mompelt hij. "Een lieve schat." "Pas maar op", zegt mamma, "je komt niet meer van hem af." Ze praat en praat. Wij luisteren, horen haar aan, ondergaan. Een niet aflatende stroom van woorden. Af en toe roept ze 'Stil' tegen ons en maant ons geërgerd met haar handen tot een nog stillere stilte. Pa piept: "Maar we zeggen niets…" Moedeloos kijkt hij naar mij en haalt zijn schouders op.

Ze heeft een mevrouw op haar kamer gekregen. Al snel worden ze dikke vriendinnen. Zo nerveus en druk als mamma is, zo kalm en bedaard is deze dame. Twee uitersten. Ze spelen samen domino en *Mens erger je niet.* Mamma leeft op. De nieuwe vriendin knapt af. Joke hoort het die middag al. De verpleegster heeft tegen mamma gezegd dat haar kamergenote verplaatst is. Zonder opgave van reden. We begrijpen het wel. En toch doet het pijn. Als ik op het bezoekuur kom, zit Vriendin met een andere dame aan de domino-blokjes. Mamma zit in de huiskamer aan de overkant van de gang. Ik loop naar het nieuwe vriendinnenkoppel om even te praten. Ik wil eigenlijk alleen maar zeggen dat we het begrijpen, maar dat we het wel jammer vinden. Vriendin begint direct een onsamenhangend verhaal. Ze maakte zoveel lawaai 's nachts als ze naar het toilet moest en wilde mamma daarmee niet wakker maken. Ik ben verwonderd. Waarom zoveel woorden? Waarom niet eerlijk? Op dat moment schiet de verpleegster mij aan. "Uw moeder is nogal nerveus, en deze dame ging er bijna aan onderdoor. Uw moeder claimt ook nogal. Heeft ze dat altijd gehad?" Nee. Mijn moeder is dominant, moeilijk, om af en toe achter het behang te plakken, mijn moeder is gecompliceerd, neurotisch, maar als ze iets nooit heeft gedaan, dan is het claimen. Sterker nog, dat is nu net wat ik altijd in haar bewonderde. Ze joeg me vaak weg, hield me meestal ver verwijderd door haar gedrag, maar hoe ze me ook miste, nooit is er één verwijt over haar lippen gekomen. Niet één keer in haar leven heeft ze mij gevraagd of ik vaker wilde komen. Ze gaf me de ruimte, de vrijheid. "Hoe reageerde mijn moeder toen u haar vertelde dat die mevrouw van haar kamer ging?" vraag ik. "Ze accepteerde het, ze zei niet veel. Het leek me beter om haar niet te vertellen waarom."

Mamma is die avond opstandig en boos. Als ik haar voorzichtig vraag of ze weet dat haar vriendin ergens anders slaapt, ontkent ze. "Hoe kom je erbij? Ze slaapt bij mij op de kamer." Ik schrik. Zou ze dan toch aan het dementeren zijn? We hebben allemaal direct gezegd toen ze op de afdeling geriatrie kwam dat ze hier niet hoorde. Op de opmerking van de verpleging: "Dat zeggen ze allemaal" hielden we onze mond. Wij wisten beter. Maar deze reactie is vreemd.

Pa, Joke, ma en ik zitten bij de geriater. Hij is jong en lief. Mamma is dol op hem en voelt zich veilig. De klik, die zij zo belangrijk vindt, is duidelijk aanwezig. Zijzelf niet. Ze oogt zo zacht en breekbaar nu. Niets van de boze schreeuwende tirannieke vrouw. Ze lacht een beetje en kijkt van de een naar de ander met vragende ogen. Ze volgt niet waar wij het over hebben. Maar dat doet ze al maanden niet. Want ze is stokdoof. De geriater vertelt dat hij goed en slecht nieuws heeft. Haar longen zijn schoon. Geen kanker. Daar was ze bang voor. Haar darmen zijn ook goed. De diarree komt waarschijnlijk door de PDS die ze al bijna haar leven lang heeft. Ze is in principe gezond op de normale ouderdomsklachten na. En ja, ze heeft COPD, net als mijn vader, en moet aan de pufjes. Longemfyseem. Kapotte longblaasjes die nooit meer herstellen. Dat is natuurlijk niet vreemd na meer dan vijftig jaar roken. Maar er is iets anders. "Ik denk dat u beginnende dementie heeft." Hij opent de map die voor hem op tafel ligt en laat de oefeningen zien die ze heeft gemaakt. Trillende cijfers en wijzers in een klok waarvan de tijd niet klopt. De Dementietest. Als je niet meer de tijd kunt aangeven in de klok, is sprake van falend overzicht. "Ik heb haar gevraagd of ze vijf voor elf wilde tekenen en dit kwam er uit..." We kijken naar een grote wijzer op vijf minuten voor de zes, en een wijzer bij de elf. "Kan het niet Delier zijn, een tijdelijke vorm van dementie die kan optreden als ouderen opeens uit hun huiselijke omgeving worden geplaatst?" vraagt

Joke, die zelf al jaren met demente bejaarden werkt. “Dat denk ik niet”, antwoordt dokter Franken, “dat ziet er toch anders uit. De klokoefening verwijst echt naar beginnende dementie.” Hij vertelt het nog eens heel rustig aan mamma. Langzaam openen haar geest en lijf zich voor deze vreselijke mededeling. Millimeter voor millimeter valt de boodschap in de cellen van haar vermagerde lichaam. Ik moet opeens denken aan het beeldje dat ik jaren geleden van haar boetseerde: een karikatuur van een vrouwenlichaam, grote hangende borsten boven een dikke buik, gedragen door benen, zo dun, dat het luciferhoutjes leken. Ze braken af, voordat het beeldje in de oven kon. Mamma knikt en lacht. Een zweverige glimlach. “We zien het wel”. Dan vullen haar ogen zich met tranen. Omdat ze naar huis mag. Dat lijkt nu belangrijker dan de diagnose ‘beginnende dementie.’ De dokter vervolgt dat er een hersenscan zal worden gemaakt om te kunnen vaststellen of het daadwerkelijk dementie is. “Misschien is het ook een goed idee als u een dagdeel naar Schoterhof gaat, het bejaardentehuis bij u in de buurt. Daar kunt u dan gezellig mensen ontmoeten. En wat denkt u van thuishulp?” Ze knikt op alles ja. Er is nergens strijd over. Opeens besef ik dat we over alles altijd een gevecht met haar moesten leveren, elke vraag, ieder antwoord. Een leven lang.

Aan het einde van het gesprek komt plaatsing in een bejaardentehuis cq verzorgingstehuis ter sprake. Joke en ik leggen uit dat ze, als wij hen nu aanmelden, waarschijnlijk nog twee, drie jaar moeten wachten voordat ze er echt kunnen gaan wonen. Dat stelt hen gerust.

Ze kunnen dus langzaam aan het idee wennen.

Ze is nog niet thuis of de eerste dementieverschijnselen lossen op als zout in water. Ik krijg mijn twijfels over de diagnose, en Joke niet minder. Maar misschien gaat het in het begin echt op en af, verschilt het per dag? Wij zijn geen experts. Dr. Jansen wel.

Een dag later hoor ik van pa dat ze de hele dag hardop straatnamen opdreunt, om te bewijzen dat haar geheugen nog perfect is. Ze is weer aan het puzzelen geslagen en kijkt ook televisie. Haar hersenen worden weer geprikkeld en gestimuleerd. "Zie je wel", zegt ze triomfantelijk als ik wat later op bezoek kom, "er is niets aan de hand. Ik ben niet gek." "Mam, zullen we nog eens die klokoefening samen doen?" Ik teken de klok, dat wil zeggen een rondje. Ik zet er geen cijfers in, alleen streepjes. Misschien mag dat ook niet bij deze oefening, maar vooruit, ik kan de diagnose dementie waarschijnlijk zelf ook nog niet aan. "Vul eens vijf voor half twee in, ma." Haar geaderde hand zweeft aarzelend boven het rondje. Zelfs zonder cijfers zet ze de wijzers op de juiste plek. Joke en ik kijken elkaar aan. "En nu vijf voor elf, mam". Ik begrijp dan pas de moeilijkheid van de opdracht. Twee wijzers die op dezelfde plaats moeten komen. We kijken gespannen toe. En ja, hoor: twee bibberige lijntjes belanden daar waar ze horen. Het ene lijntje is zelfs langer – de grote wijzer - dan het andere! "Zie je wel!" zegt Joke blij. Ik, later in de auto: "Zou het misschien ook een heldere dag kunnen zijn? Het is toch een proces. Je duikt toch niet meteen voor 100 procent in de vergetelheid?"

HOOFDSTUK 2

TERUG NAAR HET VERLEDEN

"Het zit afschuwelijk! 't Is helemaal niets", moppert ma. Haar korte witte koppie zonder krullen schudt ze heftig heen en weer. Ze is boos. Woedend. "'t Is veel te kort. Ik kan er niets mee." Hoera, ze moppert weer! Dat betekent dat zij goed gaat. "En we gaan ook niet naar Schoterhof, ik ben niet gek." Pa doet mee. Met zijn hoge stem herhaalt hij dat ze geen van tweeën gek zijn. Hij niet en 'moeder' ook niet. "Maar mam, u vond het in het ziekenhuis toch gezellig met die mevrouw? Dat deed u toch goed?" probeer ik. Ze stampvoet nu. "Ik wil het niet." "Oké. Dan niet. Ik zal ze afbellen. Goed?" "Ja. Doe dat maar. En o, ja, ik rook ook weer. Maar twee sigaretten per dag, hoor. Ik ga er niet over liegen. Ik heb er gewoon zin in." "Dat moet u ook zelf weten, mam." Ze houdt vol dat het er bij twee blijft. Zij die haar hele leven bijna twee pakjes rookte. Zelf een ex-rookster, doe ik er het zwijgen toe. Ik raak uitgeput. "Mam, iets anders. Wist u nu echt niet dat die mevrouw niet meer bij u sliep die nacht? Toen ik u dat vroeg in het ziekenhuis, ontkende u het. U zei dat ze wél bij u op de kamer lag..." "Natuurlijk wist ik dat ze niet meer bij me sliep. Ik deed net alsof. Denk je dat ik liet merken dat ik het niet doorhad? Die verpleegster speelde met haar onder een hoedje. Die was op haar hand. Toen ze vertelde dat ze ergens anders ging slapen, dacht ik: ik laat niets merken en zei: 'Dat moet ze toch zelf weten. Iedereen moet doen wat hij wil.' Ik heb mijn schouders opgehaald. Maar ik denk dat er wat achter zat." "Dat heeft u goed gevoeld", zeg ik. "Ze vond me zeker te druk, hè?" Ik knik. En opeens heb ik zo met haar te doen. "Heeft u het verdrongen toen?" "Ja. Ik had al zoveel aan mijn hoofd." "Heeft het u gekwetst, mam?" Opeens schieten haar ogen vol. Het grijs vlamt op, wordt bijna felblauw. "Ja, heel erg." Ik voel haar pijn. Rauw. Zo uit haar hart. Zo gaat zij met pijn om. Doet net alsof het er niet is. Sluit zich af. Hoe vaak zal ze dat al niet zo in haar leven hebben gedaan? Hoe vaak heeft ze werkelijk laten zien wat ze voelde, vraag ik me af. Ik sluit haar in mijn armen en troost haar als een klein kind.

Het gaat een paar weken goed. Het is net alsof de week dementie in het ziekenhuis niet heeft bestaan. Dan opeens blijkt ze vergeten te zijn hoe haar mobiele telefoon werkt. En zelf geeft ze ook aan dat het wel fijn is om een makkelijker exemplaar te hebben. We kopen er een voor haar verjaardag. 82 is ze geworden. "Volgend jaar haal ik niet", zegt ze. Ik neem me voor er niet op in te gaan. Een vriendin die psychologe is, heeft gezegd dat ze een grote toneelspeelster is. Vreemd, hoe blind je kunt zijn voor sommige eigenschappen van mensen die dicht naast je staan. Het is net als de moedervlek die je al jaren op je wang hebt zitten. Je kijkt er nooit naar en dan op een dag blijft je blik hangen. Het lijkt net alsof je hem voor het eerst ziet. Verbaasd vraag je je af: "Was hij altijd zo licht? En zo groot? Zo dik?" De opmerking van mijn vriendin blijft als een echo terugkaatsen... Toneelspeelster. T-o-n-e-e-l-s-p-e-e-l-s-t-e-r! Ik herinner me de strijd die ma en ik ooit voerden omdat ik naar de kunstacademie wilde. Een beurs aanvragen maakte haar en mijn vader trouwens ook, zeer angstig, en dan nog in Amsterdam, Sodom en Gomorra! Ik zette door. Ik tekende en schilderde stiekem in het halfdonker in de schuur om een portfolio te maken. Op de dag van de toelatingsprocedure ging ik in het geheim met mijn tekenwerk naar de academie. Maar het was geen geheim. Ze zaten op me te wachten toen ik thuiskwam. Een buurvrouw die ik in vertrouwen had genomen, had het verteld. Mamma werd ziek, kreeg allerlei vreemde verschijnselen, eindigend in een flauwte en begeleid door zo'n hysterische aanval dat de huisarts met spoed moest komen.

Een paar dagen daarna werd ik uitgenodigd om met hem te komen praten. Het was een grote zware man met een linkeroog dat anderhalve centimeter lager stond dan het rechter. "Je moet die kunstacademie maar uit je hoofd zetten", deelde hij met basstem mee, "dat gaat je moeders gezondheid kosten." Daarna liet hij me met een weids gebaar buiten. Zo kwam er een einde aan mijn toekomst die nog niet eens begonnen was. Mamma's klachten waren op slag verdwenen.

Wat gaat het voor ons betekenen, als zij terugglijdt in de tijd, als zij weer tot leven komt in haar verleden? Is haar verleden ook het onze? Wordt zij weer de vrouw uit onze jeugd? Met een schok besef ik opeens dat ik niet opnieuw deelgenoot gemaakt wil worden van de drama's uit mijn kindertijd. Of gaat zij terug naar haar eigen jeugd? Naar de moeder die zij zo liefhad? Naar de vader die al zijn weekgeld verdronk, zijn vrouw sloeg en mamma's spaarvarken kapot smeet op de grond en van dat geld naar de kroeg ging?

HOOFDSTUK 3

IK GA NIET NAAR EEN TEHUIS

We gaan naar Frankrijk. Joke gaat ook mee. Voor het eerst gaan we met zijn vijven naar het kleine Hans en Grietje huisje, zoals mamma het noemt. Wel fijn dat Joke meegaat. Want het is normaal gesproken een slijtageslag, twee oudjes een weekend lang in de verzorging. Joke kan nu ook hulp bieden. Met ze praten, eens afwassen, aandacht geven. Niemand zegt het hardop, maar we denken allemaal hetzelfde: dit is voor het laatst dat zij meegaan.

Joke en ik vertrekken een dag eerder. We kunnen dan de luiken opendoen, het water aansluiten en de kachels opstoken zodat het huisje de oudjes warm kan ontvangen. Dat blijkt een goed idee. Als we aankomen, voelt de kou als een klamme washand op onze huid. Simon en ik zijn er nog maar twee weken geleden geweest, maar de dingen hebben al hun glans verloren. Langzaam zien Joke en ik hoe alles wat we aanraken opleeft bij onze energie. Ik heb me daarover altijd verbaasd. Dat je werkelijk kunt zien en voelen of het lang geleden is dat er mensen zijn geweest. De tafel met het gezellige gele Provençaalse kleed erop, de Portugese fruitschaal in bonte gele en rode kleuren, zelfs die vrolijkheid valt in een leeg huis terug in somberte.

Terwijl Joke en ik nog even buiten een drankje nemen, met een lucht vol sterren boven ons, denken we aan morgen. Morgen als pa en ma aankomen. Net als nu zullen we op het lavendelblauwe bankje voor het huis zitten wachten. We zullen lachend opstaan als we het zwarte autootje om de hoek zien komen, met de twee, nee, drie grijze bolletjes erin (manlief is ook al grijs – zo niet wit). We zullen de oudjes vasthouden en hen voetje voor voetje naar de deur begeleiden. Pa zal happend naar lucht, zo benauwd als hij is, eerst om zich heen kijken. Mamma zal meteen gaan zitten op de bank in de huiskamer en zeggen dat ze heel moe is.

We wachten die middag terwijl de zwaluwen neerstrijken op de telefoondraden. En alles gaat precies zo als ik dacht.

‘s Avonds. Mamma speelt met Joke Mens erger je niet. Pa en Simon kijken naar een film, en ik lees voor de open haard. Mamma wint alle spelletjes. Zoals altijd. Maar wat anders is dan anders, is haar rustige triomf. Ook haar bewegingen zijn kalm, bedaard. De dobbelsteen rolt goedmoedig over het Provençaalse kleed. Er zijn geen bruuske gebaren, geen nerveus gegraai naar zes witte stippen. Geen gelach waarin iets van waanzin zit. Zacht is haar glimlach, en ze ontvangt haar winst met waardigheid. Terwijl ik in mijn boek lees voor de open haard met de dansende vlammen, registreer ik elke beweging, ieder geluid van deze mamma. En langzaam raak ik er steeds meer van overtuigd dat dokter Franken gelijk heeft.

Zo is het veel makkelijker van haar te houden. Ik praat erover met Joke. Maar zij kan het zo niet zien. Ze beaamt dat het niet mamma is, maar zij vindt het pijnlijk. Haar ogen vullen zich met tranen. "Ik vind het fijn", beklemtoon ik, "als je dan toch weet dat ze dementie krijgt, dan liever zo."

Mamma en ik liggen op bed. In de logeerkamer die nu van haar en pappa is. De gaskachel snort en strijkt zijn warmte over het Franse bloemetjesbehang. We zijn onder de sprei gekropen. Ik kijk naar haar rimpelige gezicht, de groeven langs haar mond, de ouderdomsvlekken die ik nog niet ken. Om beurten sluiten en openen we onze ogen. Soms tegelijk, elk op zoek naar dat heimelijke moment waarop je de ander kunt zien zonder dat de ander jou ziet. De zon piept door de regen heen en trekt een strakke streep over haar wang. Ik dommel weg en hoor in de verte de stemmen van Simon, Joke en pa. "Het is beter voor jullie. Dan komen jullie samen in een tehuis... Als je je niet tijdig inschrijft, kan het gebeuren dat je elk ergens anders terechtkomt. Dat is vreselijk. Dat heb ik bij een aantal vrienden van mij gezien", hoor ik Simon zeggen. Ik begrijp dat ze met Het Gesprek zijn begonnen. Mamma hoort niets en lacht nog steeds lief. Misschien moet ik haar ook maar even nu polsen, denk ik. Voordat ze de kamer ingaat. Alvast een beetje voorbereiden.

"Mam, nu we hier toch zo liggen, ik wilde eigenlijk iets met u bespreken. U wil niet naar een bejaardentehuis, maar als u het niet binnenkort regelt, is de kans groot dat jullie niet bij elkaar komen." Weg glimlach. "O, dat weer! Ik dacht al: het is vast niet zomaar dat je hier met mij wilt liggen. Het is allemaal vooropgezet. Bah!" "Dat is het niet, mam", zeg ik.

"Wel!" Ik zwijg. Het doet me pijn haar achterdocht nu te ontmoeten. Ook dat hoort bij dementie, is mij verteld. Ik zeg er niets over. Ben alleen bedroefd over de andere sfeer. "Ik ga niet. Pappa en ik willen daar rustig over denken, er de tijd voor nemen." "Dat zei u een maand terug ook, mam, maar u heeft niet zoveel tijd." "En toch moet ik er over nadenken. Ik begrijp best dat het niet langer gaat, dat er iets moet gebeuren, maar nu nog niet. Ik wil het zelf beslissen. Met je vader. En nog iets. Ik wil ook geen thuiszorg. Daar zit je vijf jaar aan vast. Dat doen we niet. Je vader wil dat ook niet. We kunnen het best zelf." "Dat kunnen jullie niet", zeg ik. "Pappa kan nog amper tien meter lopen zonder in ademnood te komen. Hoe doet die man überhaupt nog de boodschappen zelf? Denk ook eens aan hem!" Haar ogen vlammen op. "Altijd je vader! Ik kan het ook niet meer, hoor!" "Jullie kunnen het geen van beiden meer. Maar ik zeg met nadruk pappa, omdat hij niet aangeeft wat hij niet meer kan, maar wij zien dat wel." Weer begint ze over zichzelf. En weer herhaalt ze dat er geen thuishulp komt. "Als u daarvoor niet kiest, moet u niet denken dat Joke en ik elke keer komen opdraven. Dan moet u de gevolgen aanvaarden", zeg ik uiterlijk rustig, maar van binnen stormt het. "Dat hoeft ook niet!" schreeuwt ze.

Ik begrijp dat het geen enkele zin heeft om ook nog maar iets te zeggen. Misschien kan Simon nog wat bereiken, de lieve, geduldige schoonzoon die ze beiden adoreren. Simon die luistert, eindeloos begrip heeft en eerst een heel eind meegaat met hun emoties. Bruusk komt ze overeind. Smijt de sprei opzij en steekt haar voeten driftig in haar pantoffels. Ik zeg niets, heb mijn boek gepakt en ben gaan lezen. En ik kan het! Ik ben er nog werkelijk toe in staat ook. Een paar minuten later ben ik in Parijs, waar de hoofdpersoon op zoek gaat naar een Joodse vrouw die in de oorlog is omgekomen... Het verbaast me dat ik dit kan. Ik besef dat ik opnieuw de les krijg die ik gedurende mijn leven met mijn ouders regelmatig krijg voorgeschoteld: hun keuzes mogen ze maken, maar de gevolgen zijn dan ook voor hen, en niet voor mij... Ga ik dat nu leren? vraag ik me af. Zonder schuldgevoel, spijt?

Ik sla natuurlijk toch mijn boek dicht en volg haar naar de kamer. Het gesprek is in volle gang. Maar wat Simon ook zegt, ook hij verandert haar mening niet. Pappa, die net nog meeging, volgt nu weer gedwee, zoals altijd, de mening van zijn vrouw. Aarzelend, angstig, herhaalt hij wat zij zegt. Geen thuishulp, nog niet inschrijven. Ze hebben tijd nodig, tijd nodig. Joke en ik stuiteren. "Je hebt geen tijd!" schreeuwt Joke. "Je bent geen twintig meer." Simon neemt mamma apart in de keuken. Terwijl wij verhit doorpraten, hoor ik mamma zeggen: "Ik weet best dat het niet in orde is met mij. Ik voel dat er iets anders is in mijn hoofd, maar ik moet erover nadenken…" Het is confronterend te horen dat ze het zelf ook beseft, en telkens ontdek ik dat ik ondanks dat ik het keer op keer bevestigd krijg, ook niet wil erkennen dat ze dementie heeft.

Joke: "Ik weet wel wat ik doe, al moet het met de kantonrechter, maar ze worden ingeschreven. Al moet ik het zelf doen!"

"Laten we een straatje om gaan", stel ik voor. "Afkoelen. En dan kunnen we even overleggen zonder pa en ma erbij. En zij kunnen met elkaar praten." We trekken onze jassen aan. Nog niet buiten, begint Simon: "Moeder beseft echt wel wat er aan de hand is en dat ze hulp nodig hebben. Ook dat ze naar een tehuis moeten, maar laten we ze nog wat tijd geven. Ik heb voorgesteld dat we er weer over praten en een beslissing nemen na het onderzoek, de scan die moet uitwijzen of er daadwerkelijk dementie zit aan te komen." "Ja, en dan doen ze het wel!", zeg ik schamper. "Ja, dat denk ik wel", zegt Simon. Joke en ik, bijna tegelijk: "Je kent haar niet. Ze doet het niet. Nu niet. Nooit niet."

En dan knapt er iets in me. Mijn woorden knallen door de immense stilte van de koele voorjaarsavond. De dorpsstraat ligt er met de gesloten luiken verlaten bij. Af en toe daalt er een wolk van rook over straat, ontsnapt aan een schoorsteen die de laatste winterdagen uitblaast. Ik heb het idee dat alle luiken zich openen en de lucht openbreekt als ik tekeerga. "Ik doe het niet! Ik doe het niet! Ik ga niet weer mijn leven opofferen omdat zij de gevolgen van hun keuzes niet zelf dragen. Mijn hele jeugd is verpest doordat ik mijn vaders strijd streed. Omdat hij liet liggen wat hij had moeten oppakken. Ik was een kind. Ik wist niet beter. Ik nam het voor hem op. Vocht tegen haar gekte, haar hysterie, haar wreedheid, haar egoïsme. Ik deed wat hij had moeten doen. En weet je wat er gebeurde?", schreeuwde ik, alsof ik nieuw publiek had, toehoorders die mijn verhaal nog nooit hadden gehoord, "mijn vader keerde zich ook tegen mij. Met zijn tweeën liepen ze achter me aan, met messen. In de keuken.

'Hoe durf je dat tegen je moeder te zeggen? Denk toch aan haar! ' zei hij. Terwijl ik alleen maar zei wat hij niet durfde te vertellen. Ik sprak voor hem. Ik deed alles. Voor hem! En nu moet ik hem straks elke dag naar haar toe brengen omdat ik toevallig geen werk heb en een auto? Omdat ze te laat waren met inschrijven en daarom niet samen in hetzelfde huis konden komen te wonen? Nee! Nee! Ik doe het niet. Ik ga hem niet weer redden. Dan neemt hij maar een taxi. En als ze geen thuishulp willen? Prima. Maar ik ga niet elke week bij hen schoonmaken. Ik red het thuis niet eens. Ik heb straks geen werk, moet al mijn energie gebruiken om geld te gaan verdienen op een andere manier. Ik zit niet thuis om straks hun mantelzorger te zijn. Ik wil een keer in de week komen, natuurlijk, ik wil uiteraard helpen, maar niet zo. En jij, Jook, moet het ook niet doen!"

Simon is doodstil. Zwijgend kijkt voor zich uit. Joke is boos: "Dat moet jij weten. Ik kan ze toch niet laten zitten. Ik help toch." "Dan leren ze er niets van! Ze krijgen hun zin. En ze blijven waar ze zitten. Er verandert dan niets, Jook!" "Kan zijn", zegt ze rustig, "maar ik laat ze niet in de steek."

In de steek. Ík voel me in de steek gelaten. En meteen glijd ik af naar het verleden, in de rol van slachtoffer. Ach, arme ik. Mijn hele leven heb ik alles alleen moeten doen. Nooit was er de hulp van mijn ouders. In alles dachten ze aan zichzelf. Pappa koos nooit. Wat ook een keuze is. Hij mopperde alleen maar. Bij mij. Ik voelde me verantwoordelijk voor zijn leed. Mamma deed alleen maar wat zij wilde. Of ik daar nu ongelukkig onder was of niet. En nu, vandaag, is er nog niets veranderd. Alles wat zij kiezen, niet kiezen, komt bij Joke en mij terecht.

"En als ik dan zeg: ik ben geen taxi, ik ben geen thuishulp, dan ga jij dus, en krijg ik later van jou verwijten dat ik niets doe!", ga ik woedend verder. "Maar ook jij moet dus begrijpen dat jouw keus gevolgen heeft voor jou!" We lopen met zijn drieën nu stil door de hoofdstraat. "Ik ben het met je eens", zegt ze na enige tijd – ik ben verrast hoe goed het voelt dat mijn gevoelens erkend worden – "maar ik doe toch wat ik moet doen."

Ik voel hoe de tranen achter mijn ogen prikken. Mamma's beginnende dementie, haar terugtocht naar het verleden, brengt mij ook terug naar vroegere tijden. Naar oude emoties, verdriet. Ik dacht dat ik het had verwerkt, dat ik vergeven had. Vanavond heb ik mijn oude verdriet opnieuw ontmoet. Het heeft me overrompeld. Ik ben ervan geschrokken. "Het komt er tenminste uit", stelt Joke nuchter vast.

Het onderwerp wordt tijdens dit weekend niet meer

besproken. Maar de sfeer is veranderd. En mijn gevoel is veranderd. In de nacht krijgt pa een aanval van benauwdheid die zo hevig is dat Joke er wakker van wordt. Ze vertelt later dat ze samen met hem beneden heeft gezeten tot het ergste voorbij was. "Hij was volkomen in paniek. Het was vreselijk om te zien en om aan te horen. Mamma was geërgerd, draaide zich om in bed en zei almaar tegen hem dat hij moest gaan slapen." We spreken af dat ik, als we weer thuis zijn, de huisarts bel om te vragen of hij wil langskomen. We vermoeden dat pa een kuurtje prednison nodig heeft om het slijm in zijn longen te doen oplossen.

Doodmoe komen we thuis. Joke zal de dag daarop contact met thuiszorg opnemen om door te geven dat er voorlopig niemand hoeft te komen. Ik bel de huisarts.

'S Avonds gaat de telefoon. "Mar, je gelooft niet wat er vandaag gebeurde! Ik kwam bij ze om boodschappen te doen en het bed te verschonen, en om toch nog eens over die thuiszorg te praten – want ik kan dit ook niet allemaal blijven doen – en mamma was er niet. Ze was naar het bushokje gelopen, want ze wil de huisarts niet zien. Hoe vind je dat? Toen ben ik naar de halte gegaan. Daar zat ze. Ze was er zonder rollator naar toe gekomen! Heb jij ook gezien dat ze wankelend loopt en zich overal aan vastgrijpt als de aandacht naar pa toegaat?" "Ja, dat heb ik ook gezien", moet ik beamen. "Nou, ik kwam daar aan en vroeg haar: Waarom zit u hier? Toen zei ze: ik wil die vent niet zien. Ze geeft de dokter er de schuld van dat ze is opgenomen in het ziekenhuis en op de afdeling geriatrie is terechtgekomen.

'Doe niet zo kinderachtig!' zei ik tegen haar. Maar ze bleef weigeren mee te gaan. Ik werd steeds kwader en zei: 'En wat die thuiszorg betreft; u doet het, of ik kom niet meer. Want ik kan het er niet meer bij hebben. En Marga ook niet. We doen alles voor jullie, maar het houdt een keer op!' Toen ben ik weggelopen, naar pappa terug. Wat denk je? Een kwartiertje later kwam ze eraan. Maar denk niet dat ze iets zei. Ze ging zitten in die andere kamer, pakte een sigaret en zweeg. Ik dacht: je zult me niet krijgen. Ik zeg ook niets. Toen ik wegging heb ik alleen pa een zoen gegeven en gedag gezegd. Later werd ik door pa opgebeld en zei hij dat ze besloten hadden de thuiszorg toch te laten komen. Om de veertien dagen vier uurtjes." "Gefeliciteerd."

Een dag later zit ik bij een vriendin aan de rosé in de tuin. Voor het eerst buiten, in de lentezon. Heerlijk. Ik vertel over het weekend. Mijn ouders.

Haar moeder is ook beginnend dement. Ze knikt. "Mar, ik was dit weekend ook bij mijn ouders en het is precies hetzelfde. Je wordt er gek van. Ze willen niets. Terwijl ze zelf haast niets meer kunnen. Mijn vader en moeder zoeken al een paar jaar naar een bejaardentehuis, maar niets deugt. Ze vinden altijd wel weer iets wat er niet goed aan is. Ik heb dit weekend ook gezegd:' Pa, als je niet snel iets regelt, zit ik straks met het probleem. Dan moet ik ma ergens onder brengen!" "En wat zegt hij dan?" "Niets. Hij zegt gewoon niets. Of geeft zo'n antwoord waarmee je niets kunt." "Zijn ze allemaal zo, die oudjes?" zeg ik, "ik hoor niet anders." "Ik ook niet. Als ik de verhalen van mijn vrienden hoor, dan is het allemaal hetzelfde." "Ze zijn bang de controle over hun leven te verliezen. Het is ook afschuwelijk als je je huis uit moet. Iedereen weet natuurlijk dat zo'n stap het eindstation is. Maar op een bepaald moment moet je toch ook beseffen dat je de kinderen ermee opzadelt. Zouden wij net zo worden, als we zo oud zijn?" vraag ik.

Het is maandag. We gaan naar de geriater om ma's hersenfuncties te laten testen. Daaruit moet dan duidelijk worden wat er aan de hand is, zodat zij een indicatie kan krijgen voor een plek in een tehuis. Ma zal moeten tekenen. Maar of ze dat ook gaat doen… Dr. Franken, jong en met een eindeloos geduld, stelt een aantal vragen aan haar, beginnend met: "Waar ligt het Elisabeth Gasthuis, mevrouw van Doorn?" Ze wil natuurlijk zo goed mogelijk antwoorden om te bewijzen dat er niets aan de hand is. Je ziet haar koortsachtig denken en dan komt het antwoord: "Waar het altijd ligt!" Joke en ik schieten in de lach. Wat een vondst! Dr. Franken kan zijn lachen amper inhouden. Ze schudt opstandig haar hoofd. "Dit wordt me te moeilijk. Ik ben moe. Stel dan ook niet zulke rare vragen." Dan, bijna uitdagend, kijkt ze van de een naar de ander. Alsof ze wil zeggen: 'Wie durft hier iets tegenin te brengen?' Stoer en sterk zit ze daar. Althans, dat is wat ze ons wil laten geloven. Maar wij weten wel beter. En als we haar daarna het formulier toeschuiven, zet ze met bevende hand, haar aandoenlijk bibberige handtekening. Joke en ik slaken een zucht van verlichting. Haar grootste angst is terecht te komen op een gesloten afdeling. Hoewel je niet kunt beloven dat dit niet gebeurt, zegt Joke toe alles te doen wat in haar vermogen ligt om dat te voorkomen. 'Als het moet, neem ik haar bij me in huis'. Dat is lief van Joke, maar een onmogelijke opgave als je hele dagen werkt.

HOOFDSTUK 4

ONTSLAG, DEMENTIE EN EEN MELANOOM

Joke heeft duidelijk meer ervaring met ouderen. Ik respecteer hun wensen te veel. Soms moet je doordrukken, zegt zij. Ik heb vandaag voorgesteld samen naar een terrasje te gaan bij hen in de buurt. Een mooie plaats, aan de rand van een bos, met een vrolijke klaterende fontein en eenden die elkaar achterna zitten.

Mamma wil eigenlijk niet; maandag is strijkdag. Kan het dinsdag? probeert ze nog. Ze sputtert al als ze de auto instapt. "Ik ben zo rot, zo rot!" Pappa beaamt het. "Je moeder is niet goed." Hij zucht. "En ik ook niet." "Misschien valt het mee als jullie straks lekker op het terras zitten, in het zonnetje". "Ik wil dood", gaat mamma verder, "zo is het geen leven. Ik wil niet voor gek zitten straks. Dit is niks. Helemaal niks. Ik wil niet alles vergeten." "Het is ook erg, hoor", zegt pappa en kijkt bedroefd de auto uit.

Ik rijd naar het restaurant, een Zwitsers chalet. Het ziet er schitterend uit in het voorjaarszonnetje. Wie weet worden ze blij als ze er eenmaal zitten. "Ik heb de hele ochtend gewerkt in huis, ik ben moe", gaat mamma verder, terwijl ze naar het terras schuifelt. "Die thuishulp is niets. Ik heb er niks aan. Ik moet alles overdoen. Ze heeft de vloer niet eens gedaan." "Mam, dat had je ook niet aan haar gevraagd. Ze kan niet alles in een ochtend doen." "Je moet het niet hoeven vragen, ze moet het zelf zien. Omdat zij nu op donderdag komt, moet ik het vrijdag overdoen, en dan moet ik wat ik op vrijdag doe op zaterdag doen. Het schiet niet op."

Zuchtend valt ze neer op een stoel bij het water. "Er staat hier wind", mompelt pa. "Houd je jas dan maar goed dicht", zeg ik. "En ik mag niet in de zon," gaat hij verder, "want ik heb een antibioticumkuur." "Ga maar met uw rug tegen de zon in zitten. Hier, neem deze stoel!" Mamma zwijgt. Houdt haar kraag hoog dicht, haar lippen verbeten op elkaar.

"Wat willen jullie drinken?" vraag ik. Ma tegen pa: "Wat neem jij?"

"Cappuccino", zegt hij. "Ik ook", zegt ze. "Er wat bij, mam?" Ze schudt nee. Dan komt de ober. "Wat heeft u voor lekkers?" vraag ik. "Appeltaart of wafel met slagroom en warme kersen." "Een wafel met warme kersen, ma? Pa?" Ja, dat willen ze wel. Ze eten alsof ze dagen geen eten hebben gezien. "Lekker, mam?" Ze knikt. Net als ik denk dat het toch nog leuk gaat worden, zegt ze: "Ik vind er niets meer aan, aan het leven. Als het zo doorgaat, hoeft het niet meer." "Dat snap ik. Het is niet makkelijk. Maar aan de andere kant, kunt u niet een beetje denken: laat ik dankbaar zijn voor wat ik allemaal heb gehad. Tot mijn 82ste ben ik gezond geweest en heb ik kunnen genieten? Weet u wel hoeveel mensen, veel jonger dan u, erg ziek zijn en zelfs ook sterven?"

Ja, dat snapt ze. Dat is ook zo, beaamt ze. En daarvoor is ze ook dankbaar. Maar een minuut later: "Ik wil niet naar die mensen. Die gekken."

Pa is in zichzelf gekeerd. Het lijkt wel alsof ook hij steeds meer in de war raakt. Ik moet er niet aan denken dat er nog een gaat dementeren. Volgens Joke komt het omdat hij te veel aan zijn hoofd heeft. Ik voel hoe de zon op mijn huid brandt en kijk naar een mannetjeseend die verwoede pogingen doet een vrouwtje te bevruchten. Een Labrador springt in het water. Het gras wordt groen en de bomen botten uit. Het voorjaar springt open, juichend, na slechts een paar warme dagen.

Hier zit ik dan, op een maandagmiddag, met mijn mopperende oudjes. Voor het eerst vraagt pa hoe het is met mijn ontslag. Hij heeft iets van Joke gehoord. Ik wil ze er niet mee belasten en probeer er zo luchtig mogelijk over te doen. Ze vragen door. Dat verbaast me. Komt het binnen? vraag ik me af. Of het veel kost, vraagt pa. "Heel veel." Ik weet niet waarom ik dat zeg. Misschien omdat ik hoop dat ze beiden blijk geven van medeleven. Betrokkenheid. Al zolang is het ongelijkwaardig. Alle aandacht alleen voor hen. Ouderen worden weer kinderen, kinderen ouderen. En bij kinderen draait de wereld nu eenmaal om hun. Ik wil teveel. Pappa kijkt van me weg. Later, als ik het nog eens over mijn ontslag heb, zal hij zeggen: "Ik wil er niets over horen." Ik besef dat hij het er niet meer bij kan hebben. Er niet over praten, betekent dat het niet bestaat. Zíjn overlevingsmechanisme dat hem zo oud heeft doen laten worden. Mamma praat erover heen, vraagt hem wat ze gaan eten die avond. Hij stelt nasi voor. Ik kijk opnieuw naar het frisse groen van de bomen, naar de zon die aan een strakblauwe hemel blijft schijnen en om en in mijn hart voel ik de koude toeslaan. Na de koffie komt er thee, en na de thee willen ze niets meer. Ze hebben al zoveel gedronken. Ik roep de ober en bestel een glas droge rosé. Waarop mamma zonder aarzelen, enthousiast roept: "En een sherry!" Daarna steekt ze haar vierde sigaret op. "Ik ben zo nerveus, ik moet er nu een extra, hoor!" verontschuldigt ze. "Al rookt u het hele pakje leeg," antwoord ik, "wat maakt het uit?" "Zo is het", zegt ze vergenoegd, "ik wil toch kapot." Ze trekt aan haar sigaret, nipt van haar sherry.

Later, aan de telefoon: "Het was toch leuk, Mar."

Een week later gaan Pa en ik naar de plastisch chirurg. Er is een melanoom geconstateerd. Van negen centimeter. Pa had hem al een maand geleden gezien, maar wilde er niet aan. Wat is er in die 88 jaren veel onder dat kleedje geschoven! De dokter gaat hem weghalen. Over twee weken. En dan zal blijken hoe het met het pukkeltje zoals pa dat noemt, gesteld is. Als we weer bij mamma thuis zijn, zegt ze: "Mar, ik heb er helemaal geen zin in dat jij kookt vanavond. Ik wil eruit. Ergens eten, weg." Ik ben verbaasd. "Wat wilt u dan?"

"Naar dat ding waar we laatst waren." Pa kijkt me nu ook stralend aan. Een uitje! Hij schiet bij het vooruitzicht meteen in een gulle bui. "We gaan er eten. Ik trakteer. Ik heb toch geld genoeg." De wonderen zijn de wereld niet uit. Vandaag heb ik een rijke vader! In de auto, zeg ik tegen ma: "U dacht zeker: nu Mar er is met de auto, sla ik mijn slag."

Ze schiet in de lach. Dan, heel ernstig: "Misschien is het wel gemeen, hè? Maar ik ben het zat om al maar thuis te zitten. Je ziet geen mens." Op dat moment wil ik haar wel doodknuffelen. Met die ontroerend ontwapende eerlijkheid erbij. "Nee, mam, dat is niet gemeen. Ik begrijp dat u het vraagt. Natuurlijk moeten jullie er af en toe uit. En als ik er ben, is dat de enige manier. Dus altijd vragen, hoor!" En weer zitten we bij de fontein. De eenden zijn nu rustig. Het hof maken is gebeurd, het nageslacht verzekerd. Het water klotst zacht murmelend tegen de beschoeiing en de zon prikt af en toe door het lichtgrijs heen. We zitten aan de rosé, correctie: ik. Ma nipt van haar sherry en pa zegt dat ik alles mag bestellen wat ik wil. Op ma's grauwe gezicht verschijnt in een half uurtje een buitenkleurtje. Aan deze tafel waar ontslag, dementie en melanoom zijn aangeschoven, wordt vandaag het leven uitbundig gevierd. Carpe diem!

Ma is zo ontspannen. Pas later begrijp ik het: het is dinsdag. Al een leven lang de dag waarop de was gestreken in de kast pronkt, er makkelijk wordt gegeten 's avonds, het huishouden volkomen aan banden ligt.

Ik geef me over: als ik ze weer meeneem, zal het op een dinsdag zijn.

Er komt nooit meer zo'n dinsdag. Pa overlijdt. Zijn longen en hart kunnen het warme weer van de laatste dagen niet meer aan. Mamma ziet hem 's nachts, op de rand van het bed, naar adem happen. Ze voelt direct aan dat het niet goed gaat, stapt uit bed om naast hem te gaan zitten en op dat moment valt hij opzij. Waar kun je beter sterven dan in de armen van je geliefde?

In de namiddag krijgt ma een hartinfarct. De schok is te groot voor haar. De dagen daarna gaan in een roes aan haar voorbij. Ik heb mijn vakantie in Frankrijk onderbroken. We besluiten als het mogelijk is, na de crematieplechtigheid terug te gaan en ma mee te nemen. Gelukkig blijkt het infarct klein te zijn. Ze kan de plechtigheid nog meemaken, en ze wil graag mee naar het Franse huisje. Zus, doodmoe en overbelast door de zorg voor beiden, gaat ook mee, voor een weekje.

We besluiten dat ik met ma vooruit ga, in de bestelauto met airco, en dat Simon en Joke een paar uur later komen, met de kleine Suzuki – daar kunnen er vier in, handig als we een uitstapje willen maken. Op afstand leek er weinig progressie te zijn in 'de Alzheimer', maar nu, na de schok over pappa's dood en na langere tijd in haar bijzijn, merk ik dat het proces wel degelijk verder is gegaan. Haar dominantie en onverzettelijke wil beginnen plaats te maken voor een volgzaamheid die grenst aan kinderlijke gehoorzaamheid.

Op alles wat ik onderweg voorstel, knikt ze toegeeflijk. Haar blauwe ogen kijken zo puur en onschuldig dat ik soms het gevoel krijg recht in haar ziel te mogen zien. We moeten onderweg vaak plassen, en ze giert het uit als ik weer voorstel te stoppen. "Plassen zeker?" Bij een wegrestaurant moeten we een doorzichtige lift naar boven nemen om bij de toiletten te kunnen komen. Halverwege blijven we steken. Ze doet het bijna in haar broek. Om mij, zegt ze. "Je bleef maar naar beneden kijken, alsof je het niet kon geloven, dat hij niet omhoog wilde!" Daarin heeft ze wel gelijk, moet ik bekennen. Ik vroeg me maar af wat ik verkeerd deed. Uiteindelijk krijg ik bijstand van de Franse toiletjuffrouw die me bijna toesnauwt dat ik de knop ingedrukt moet houden. Dat staat er toch, zegt ze. En dat is ook zo. Het staat er in het Frans, en ik kan het lezen ook – alleen, toevallig ben ik net mijn vader verloren en ook ik ben een beetje de weg kwijt.

In de dagen erna is ma een lief, aandoenlijk moedertje. Ze laat zich met zichtbaar plezier onder de douche zetten. We hebben in een nabijgelegen stad een mooi vestje voor haar gekocht. Dat krijgt ze aan. We zetten haar helemaal in de bodylotion, kammen haar haren en maken haar op. Ze voelt zich fris en mooi. Bij alles zegt ze hoe blij ze is dat ze kinderen heeft. Ze praat veel over pappa. Vooral over de nacht, hoe ze hem gevonden heeft. Toch huilt ze niet en ze kan ook alsof er niets is gebeurd uren een tijdschrift zitten lezen. We laten haar gewoon roken, terwijl ze is gestopt en ze krijgt ook een sherry'tje. Ze praat honderduit. Is geestiger dan ooit. We liggen vaak dubbel om haar, terwijl we tegelijkertijd verdrietig zijn. Soms staan haar ogen vol tranen, maar het merendeel van de tijd lijkt het verdriet toch niet ten volle binnen te komen. Of dit door Alzheimer komt, geen idee.

Op een zoele avond zitten we nog tot laat in de tuin. Terwijl ze nipt van haar sherry en haar sigaret, schatert ze: “Als ik toch gek ben, laat ik het dan maar waarmaken ook!” En ze maakt de ene na de andere grap. Lachen zit dicht bij huilen.

Vlak voor het slapen gaan: “Ik heb een gebedje gedaan.” “Wat heeft u gevraagd, mam?” “Of ik ook snel mag gaan.”

HOOFDSTUK 5

VAKANTIETERREUR

"Zou ze zo lief blijven?" vraag ik aan Simon. "Ik denk het wel", zegt hij. Ze heeft het vast gehoord. Vanaf dat moment komt de oude dominante, eigenwijze moeder naar boven. De tirannieke van vroeger, uit mijn pijnlijke kinderjaren. De moeder die alleen maar aan zichzelf dacht en ieder lid van ons gezin terroriseerde met haar labiele geest. Haar gehoorapparaatje spuugt keer op keer zijn hoge pieptoon over ons uit. Ik vraag haar de eerste keer rustig of ze hem iets zachter wil zetten. Wat ze niet hoort. Dan gebaar ik met mijn vingers richting mijn oor. Ze knikt. Het apparaatje zwijgt weer. Om vervolgens een paar minuten later opnieuw van zich te laten horen. Weer wijs ik naar mijn oor. En weer rommelt ze eraan. Tot zij er duidelijk genoeg van krijgt. Als ik haar beduid het ding af te stellen, zegt ze: "Houd toch op met dat gezeik! Je bent een zeur! Je kunt nu wel weer willen dat ik er iets aan doe, maar ik moet ook aan me *eige* denken!" Ik slik. Alzheimer? Of oud egoïstisch gedrag? Ik wil de scheidslijn graag aanbrengen zodat ik beter met haar om kan gaan en de pijn die ik voel kan verdragen. Maar ik kan die lijn (nog) niet trekken omdat ik te onbekend ben met de ziekte. Als dit Alzheimer is, dan heeft ze dat altijd al gehad, denk ik soms. Het gehoorapparaatje blijft op gezette tijden ondraaglijk hoge pieptonen uitzenden die niet te negeren zijn. Als ik voor de zoveelste keer op mijn oren wijs, snauwt ze: "Het ligt aan jou! Als ik alleen ben, heb ik nergens last van!" Tja… Nu pappa er niet meer is, niet afleidt, met andere verhalen komt, nu zij, alleen zij het middelpunt is, lijkt alles aan haar vele malen erger. Deze vakantie komt langzaam in het teken te staan van haar problemen met de mobiele telefoon, buren, haren die naar de kapper moeten en natuurlijk pappa. Het lieve, gezeglijke oude dametje verdwijnt steeds meer naar de achtergrond.

Er is geen enkele ruimte meer voor een eigen gedachte. We worden ondergedompeld in een geestelijke terreur, zoals ik die ervaren heb in mijn kinderjaren.

Dat ze keer op keer vertelt over de nacht waarin ze pappa in haar armen hield, gestorven, kan ik hebben. Ze mag er elke dag opnieuw over praten. Dat er toen een einde kwam aan haar veiligheid, zeker met wie ze is, nu is, kan ik me indenken. Hij verleende haar grip op de wereld die ze nu aan het verliezen is. Maar die andere herhalingen zijn onverdraaglijk. En terwijl ik haar onderga, groeit er soms een enorme afschuw. Met tegelijkertijd de schaamte. Schaamte dat ik haar niet kan verdragen, dat ik geen geduld met haar gekkigheid heb. Schaamte omdat ik verlang naar meer verheven gedachten, mooie dingen, schoonheid. Verfijning.

In deze twee weken vult het huis vult zich met zich met kleinheid, simpelheid, grove energie die afstompt en me negatief en somber maakt. Vult Alzheimer elk hoofd met zoveel zinloosheid? Of laat deze ziekte zich bij iemand die meer ontwikkeling heeft anders zien? Spelen de hiaten, de omdraaiingen, de andere woorden zich dan op een ander niveau af?

Op een ochtend, als we buiten in de tuin zitten: "Die telefoon klopt niet. Is niet in orde, Mar." "Wat is er dan, mam?"

"Verzonden irissen blijft lopen…" "Irissen? O, u bedoelt items…" "Maakt niet uit hoe dat heet, het blijft lopen, Mar. En dat klopt niet." "Laat mij eens kijken." "Nee!" Ze trekt het toestel naar links en driftig gaat haar hand over de knopjes. "Dan niet." Ze foetert door en ik loop de tuin uit. Als ik terugkom, zit ze nog net zo. "Ik zeg je: het klopt niet. Maar jij kan er toch niet naar kijken." "Ik wil het proberen, maar geef het dan ook aan me."

Met moeite staat ze de telefoon af. Ik ken het toestel niet en moet even zoeken. Ze wordt al na een paar minuten onrustig: "Geef maar. Jij kan het niet. Joke weet het wel, die is technisch." Ik probeer het nog even en zeg dan: "Volgens mij is het goed zo. Er staan geen berichten meer in." "Nee!" krijst ze nu, "het is niet goed zo. Hij loopt nog. Hij mag niet lopen! Ik vraag het aan Joke." "Maáám, het is echt goed zo!" Ik raak geïrriteerd. Daar kan ze niet tegen, weet ik nu. Ze reageert meteen op iedere emotie van de andere kant. Ik houd haar alleen maar gedeisd als ik neutraal blijf of geheel met haar meega. Dat hoort duidelijk bij Alzheimer, blijkt later. Zij: "Jij denkt het altijd beter te weten, maar je..." Ze stopt abrupt. Ik moedig haar aan verder te gaan: "Ja?" "Nee!" besluit ze. Haar gezicht gaat op slot. Haar lippen worden een smalle streep. Ik geef het mobieltje terug en ze gaat verder met verzonden irissen. Tot Simon er aankomt. "Hij doet het niet!" zegt ze. "Het klopt niet." Simon komt na enig proberen tot dezelfde conclusie als ik, maar ook hij is een lul, besluit ze. Joke, die weet het . En ja Pappa, die wist het ook. Maar pappa is niet meer. Dus we moeten het aan Joke vragen. We zijn dan twee uur verder. Waarin ze het mobieltje wisselend uit en aan heeft gedaan, en telkens weer hardnekkig probeert de verzonden irissen tot stilstand te brengen. De weelderige bloemenborders in de tuin, de kikker in de vijver, de wuivende gele velden met graan, de zwaluwtjes op de telefoondraden, al die dingen die mij juist op deze plek tot een ongekend vredige rust brengen, lossen op, verdwijnen onder de stortvloed van verbeten woorden over een mobiele telefoon die gewoon zijn werk doet. Ik word meegetrokken in haar enge wereldje als een hand die zich langzaam om mijn hals vouwt, mijn keel dichtknijpt.

Ik bel Joke. Ik zet de telefoon op de luidspreker zodat mamma haar beter kan horen. Joke: "Dat verzonden items gewoon lopen op het scherm klopt, maar

ik kijk er wel naar als jullie weer in Nederland zijn."
"Hoor je dat, mam?" Joke, de Techneut, zegt ook dat het goed is, hoe kan dat? Ze geeft half en half toe. Ze begrijpt het niet, maar het zal dan wel. Dan later maar, met Joke, in Nederland.

De volgende ochtend zitten we weer in de tuin. Ma en de twee lullen. "Mar, het is niet goed, hoor. Jij spreekt Frans. In het dorp zit de jeugd. Die moet het weten. Vraag jij het nu aan iemand van de jeugd."

Ik moet er bijna om lachen. Simon en ik hebben afgesproken dat hij het onderwerp telefoon nu verder afhandelt omdat ze iedere keer in de stress schiet als ik me ermee bemoei. Ze voelt zich de les gelezen, zegt manlief. "Dat heb je wel een beetje in je", zegt hij terwijl hij me zacht over mijn rug streelt. Ik heb 'm begrepen. En houd mijn mond. Ook hebben we afgesproken dat we voortaan in alles meegaan. Dit omdat zij dan rustig blijft en ik ook. Haar gedrag roept zoveel oud zeer op dat ik soms helemaal buiten mezelf raak. Dus Simon reageert nu: "Zullen we er zo eerst nog even samen naar kijken?" "Over vijf minuten", zegt ze. Ze is helemaal opgefokt door het ding. Dat heeft ze zelf ook door. "Even tot rust komen" zegt ze tegen zichzelf. Simon legt het haar opnieuw uit en ze blijft halsstarrig vasthouden dat de irissen moeten stilstaan. Af en toe kijkt ze mij met grote vragen ogen aan, maar ik denk: ik stink er niet meer in. "Joke weet het wel, mam", zeg ik, "die is veel beter in die dingen dan ik." Ze knikt. "Joke is de techneut, he? Wij zijn lullen!" En ze schatert het uit. "Zo is het", zegt Simon. Dit gesprek herhaalt zich nog zeven dagen. Inmiddels verandert de sfeer in huis nu we met haar meegaan. Ze wordt weer het gezeglijke, lieve vrouwtje. Als zij maar haar zin krijgt, en aandacht, vooral veel aandacht. Zij moet praten, wij luisteren. Eigenlijk is het altijd zo geweest, kom ik tot de ontdekking. Als je meeging met haar, in haar denkwereld stapte, meedeed aan haar gekte, dan was het allemaal prima in huis. Maar o wee als je jezelf was, deed wat jij graag wilde. Dan werd je de vijand. Of het nu ging om televisiekijken of werken aan de naaimachine. Ik vertel Simon erover als we een wandeling maken langs de glooiende velden met goudkleurige graanrollen, her en der verspreid, als overgebleven stukken op een dambord. "Als ik wilde naaien en de machine op tafel zette, trok zij krijsend de stekker uit het contact. Dat mocht niet. Dat gaf troep. Ik deed de stekker er dan weer in. Zij er weer uit, enzovoort. Had ik dan moeten toegeven?" vraag ik. "Ik denk dat ik dan niet alleen een onzeker mens zou zijn geworden, maar dat ik dan echt gebroken zou zijn, zoals de pianist uit de film, weet je nog wel? Pappa mocht ook geen tv kijken, geen boeken lezen. Hij zei weleens: 'Ze wil alleen maar praten...' Het gaat uitsluitend goed als je je naar haar schikt, alles verdraagt. Maar dan ben je jezelf kwijt. Doe je dat niet, ga je er tegenin, dan ben je jezelf ook kwijt. Conclusie: er valt niet mee te leven!"

De volgende ochtend. "Mar, ik heb zo'n pijn in mijn rug. Weer hier. Het is niet goed, hoor. Ik ga niets doen vandaag. Houd me rustig." "Goed, mam." Onze slaapkamer ligt boven. Iedere morgen word ik gewekt door haar gekreun. Bij elke beweging die ze maakt, hoor ik een zucht of "goh, oei", de meeste geluiden kennen geen woorden, daar zijn geen letters voor te vormen. Zo schuift ze aan tafel. Haar blauwe ogen kijken ons daarbij altijd uitdagend aan. Alsof ze zeggen wil: "Reageer, zeg iets." Maar wij zeggen niets. Pijn in de lage rug is een kwaal van jaren. Ze is gewoon oud en versleten. Maar nu klaagt ze ook over hoge rugpijn, op de plek van de longen. En ze hoest veel. Aandachttrekkerij? Pakt ze het nu anders aan? Ik neem toch voor de zekerheid maar weer de temperatuur op. Geen koorts. "Lijkt me geen longontsteking, mam. Misschien een kou. Houd het in de gaten, hè? Als het erger wordt, zeggen." Ze knikt. "Je weet, ik zeur nooit. Ik houd niet van klagen. Jij en je vader denken altijd het ergste, maar ik ben zo niet. Laten we er maar niet teveel over denken." "Prima!" zeg ik. "Weet je wat? We gaan u eens even weer helemaal wassen en uw haren ook een beurt geven, u zult zien dat u zich dan beter voelt!" Dat wil ze wel. Als ik haar onder de douche heb staan, en inzeep, schatert ze opeens: "Nou, Mar, het is niets voor jou, hè? De zorg." "Nee", geef ik volmondig toe, terwijl de zeep weer eens uit mijn hand glibbert. "Voor mij ook niet," bekent ze dan. Daar moeten we allebei om lachen. "In elk geval ben je nu geslaagd, hoor!" Een half uur later zit ze met een schone jurk en geföhnde haren op de bank, achter een kop koffie en bekent ze dat ze zich zo beter voelt. Ik geef haar een kus op haar voorhoofd die zomaar in me opwelt, en dan pakt ze mijn hand en drukt er ook een kus op. "Sorry, hoor, dat ik soms zo…nou, ja, je weet wel, doe… je bent heel lief voor me. Echt een schat. Ik ben wel eens, nou, ja… maar ik vind het ook zo moeilijk.”

HOOFDSTUK 6

WIE IS ZIJ EN 'WIE' IS DE ALZHEIMER?

"Mam, als u nu straks thuis bent, zet u dan wel uw mobiele telefoon de hele dag aan zodat we u een sms'je kunnen sturen? Want als we bellen, kunt u ons niet horen." "Nee, dat doe ik niet. Ik houd hem aan van negen tot elf, zo doe ik het altijd. Ik wil mijn vrijheid, hoor!" "Maar dan kunnen we u niet bereiken." Ze haalt haar schouders op en herhaalt: "Ik doe het echt niet. Ik wil mijn vrijheid." "Dan kan ik u er ook niet aan herinneren dat u 's avonds voor het eten een hartpil moet innemen." "Dan maar niet", zegt ze. "Oké", zeg ik.

De volgende ochtend. "Het is niet goed, Mar. Ik heb weer zo'n rugpijn. Hier. Hier! Kijk dan. Is niet goed. Ik heb er al heel lang last van. Al toen pappa er nog was. Maar ja, je wilt het niet altijd over jezelf hebben, hè? Je zegt niets, omdat hij ook van alles had. Je houdt je flink. Je denkt dat komt later wel. En je weet, ik ben geen mens die klaagt. Daar houd ik niet van. Ik ga door. Almaar door. Wat denk jij, die rugpijn is toch niet normaal?" "Ik denk het wel. U heeft het elke morgen. In de loop van de ochtend wordt het minder, dat is gewoon ouderdom, stijfheid" zeg ik. "Nee!" houdt ze ferm vast, "het is niet goed. Maar Joke weet het wel. Joke is daar goed in. Het is haar werk. Zij heeft daar meer inzicht in." "Ja, dat denk ik ook", zeg ik.

Ik denk aan vorig jaar toen pappa 's nachts zo benauwd was dat hij me in paniek belde. Mamma had hem gewoon aan zijn lot overgelaten. Hij stelde zich aan, vond ze. Het kostte hem toen al bijna het leven. Toen ik hem die ochtend kwam halen om naar het ziekenhuis te brengen, stond ze scheldend in de gang. We dachten niet aan haar. Zíj was er slecht aan toe, niet pappa. Pappa stond bedremmeld in de gang naar adem te happen. In het ziekenhuis bleek dat het kantje boord was. We hebben hem gevraagd of hij na de ziekenhuisopname bij ons op verhaal wilde komen, omdat hij thuis weer meteen aan de slag zou moeten. Hij had zelf zo hard rust nodig. Hij aarzelde geen moment en nam ons aanbod aan. Het verbaasde me. Binnen een paar dagen zag je hem opleven.

Mamma liet ik bewust even aan haar lot over. Hoe moeilijk ik het ook vond, ik hoopte dat ze zou begrijpen hoe ernstig hij er aan toe was en dat zij hem zou moeten gaan helpen in de toekomst en ook liever voor hem zou moeten zijn. Wij alle drie, Joke, Simon en ik, vertelden het haar duidelijk. Als pappa terugkomt, moet je hem gaan helpen en als we merken dat je het niet doet, nemen we maatregelen. En je moet beloven dat je liever voor hem bent. Nog voel ik de pijn om haar geschreeuw en gesnauw tegen hem terwijl hij naar adem hapte. Zou ze toen al Alzheimer hebben gehad? Hoort dit gedrag bij de ziekte? Het moeilijke is dat ze haar leven lang dit gedrag heeft vertoond.

Nu, in Frankrijk, vertelt ze hoe moeilijk zij het had, hoe bezorgd ze was om pappa. Dat zij, hoe rot ze zich ook voelde, hem hielp bij het koken van het eten. "Ik stond dan tegen het aanrecht geleund, moest me vasthouden", zegt ze. Misschien is het waar, maar het kost me moeite het te geloven. Haar leven lang heeft ze aan zichzelf gedacht. Als ik haar vraag waarom ze nooit naar een vriendin ging die net als zij op het laatst van haar leven dementeerde, zegt ze: "Je kunt niet alles achterna lopen."

Vriendinnen van wie de man al jaren geleden is overleden, heeft ze nooit extra aandacht gegeven, wat vaker gebeld of eens gevraagd te komen. Nu hoopt ze dat de mensen die nog leven haar zullen bezoeken. Maar als ik vraag: "Gaat u binnenkort nog eens naar oom Jan?" – een lieve vriend die in een bejaardenhuis zit en met wie het slecht gaat – zegt ze: "Nou, een keertje misschien, maar niet te vaak. Hij zegt nooit wat. Ik wil naar mensen die een gesprek kunnen voeren. "

Ik denk aan háár gesprekken; eindeloze verhalen over buren en gordijnen die moeten worden gewassen, verhalen die almaar worden herhaald, herhaald en herhaald. "Ze moeten eraf, Mar. Hoe het moet, moet het, maar het gaat gebeuren. In oktober zijn ze schoon. Ik doe ze zelf wel in de wasmachine, maar iemand moet ze eraf halen." Ik zeg bewust niets. "Joke wil het misschien doen" , zegt ze. Joke zeker. Ze belt in de middag en vertelt dat ze naar het huis van ma en pa is gegaan om schoon te maken. Ik sms haar dat ze niet alles naar zichzelf toe moet halen. In de week dat ze bij ons was in Frankrijk, is ze de eerste de beste dag met hartklachten naar een Frans ziekenhuis gegaan. Ze heeft de neiging alles op zich te willen nemen. Meteen belt ze op: "Wat bedoel ik daar nu weer mee? Doet ze het weer niet goed?" Ik vertel haar rustig dat het beter is bepaalde dingen te laten. Mamma kan huishoudelijke hulp krijgen. Het huis is schoon. Wel vraag ik haar of ze Kievit of Tafeltje dekje wil bellen zodat ma bij thuiskomst meteen die week vanaf dag één te eten heeft. "En je zegt net dat ik niet alles moet doen!" "Een heel huis schoonmaken of een telefoontje doen is iets anders. En voor jou is een telefoontje handiger dan voor mij, uit Frankrijk. Ik heb niet eens het telefoonnummer van die club." Stilte. Ze begrijpt het niet. We pakken het gesprek op. "Hoe gaat het met ma?" "Goed. Ze is een stuk rustiger de laatste dagen", zeg ik. "Maar ik vind het wel zwaar. Ik word gek van de eindeloze herhalingen." "Wat erg dat je dat zegt!" antwoordt Joke. "Het is wel je moeder en ze is aan het dementeren." Oei, hier wordt me een schuldgevoel aangepraat. "Ja, ze is mijn moeder en ze is aan het dementeren. Maar daarom is het soms onverdraaglijk voor een mens die ze nog wel allemaal op een rijtje heeft. Ze heeft overigens ook altijd alles herhaald toen ze nog niet dementeerde. Voor mijn geest is het terreur." Stilte. "Dus je gaat straks, als je thuis bent, bijvoorbeeld niet een dagje met haar weg?" "Nee!" zeg ik.

Soms maken Simon ik een lange wandeling. Dan laten we moeder even alleen. Vanmorgen zwaaide ze ons uit. In haar moderne pyjama. Blauw witte strepen en stippen op armen en benen wuiven ons na. Haar witte krullen dansen in de wind en haar glimlach danst mee. Dan is ze de 'schat uit het ziekenhuis', van de jonge broeder die haar wel dood kon knuffelen. Natuurlijk ga ik eens een dagje met haar uit. Maar nu even niet.

Telkens weer loop ik op tegen de vraag: wie is zij? Wat hoort echt bij haar? En wat komt voort uit dementie? Ik heb de neiging meer en meer te gaan denken dat het gedrag dat ze altijd al had, wordt versterkt door de dementie. Het is een rommeltje daarbinnen. Alzheimer husselt haar karaktertrekken, seconde op seconde, geheel willekeurig, tussen nieuwe (eigen)aardigheden heen, met als enig pluspunt verrassend lieve kanten die soms vluchtig als een zomers eau de toilette over je heen stuiven en je even bedwelmen. Op die ogenblikken is ze als een kind, vol onschuld. Het zijn de momenten waarop ze naar een film kijkt, zoals die van Catweazle, de tovenaar uit een vroegere kinderserie. Met haar mondhoeken opgetrokken in een zachte, verrukte glimlach en haar ogen vol verbazing over die wondere magische wereld, mompelt ze: "Goh, goh!"

"Leuk, mam?" Ze knikt, terwijl ze haar blik strak op het scherm laat rusten. Ik mag haar niet afleiden.

Maar de dag erna is ze weer zoals alle andere dagen. Kreunen en zuchten, begeleid door een snerpend hoge pieptoon uit haar gehoorapparaat. Ik lig nog boven in bed als ik hoor hoe ze naar Simon toeloopt die in de keuken bezig is. Blijkbaar wijst hij haar op de hoge fluittonen. Want ik hoor haar snauwen: "Ik heb hier thuis geen last van. Nooit. Alleen hier." Meteen daarop geeft ze het al op: "Nou, bekijk het ook maar."

In deze twee weken kom ik onder ogen wat ik niet eerder zo duidelijk kon zien: dat mijn moeder aan het dementeren is. En met dat proces worden oude laatjes geopend: de verschillen in onze persoonlijkheden waarvan sommige versterkt door Alzheimer en alle daaruit voortkomende conflicten duiken als duveltjes uit doosjes naar buiten. Ha, dacht je dat je er mee klaar was, Mar? Dat je haar vergeven had? Dat het voorbij was? Dat je simpelweg kan zeggen dat je van haar houdt omdat je nu je eigen leven leidt en niet meer zoveel met haar te maken hebt? Vergeet het maar. Dat is veel te makkelijk! Kijk nu goed, zie hoe ze was en kijk, zo reageerde jij! En wat doe je nu? Reageer je nog steeds zo? Pas op: hier zijn ze weer, voor de laatste maal: jouw valkuilen! Leer ervan. En nu. Straks is ze er niet meer. Let goed op. Je moeder is een van je grootste leermeesters. Ze laat je als geen ander zien waar je staat. En ze biedt je nog een keer de kans om voorgoed met oude patronen te breken!

HOOFDSTUK 7

ZIJN ER DOCHTERS ZOALS IK?

Ook Joke speelt opeens een aparte rol. Ik, de oudste, die altijd als de beste en mooiste en wijste werd beschouwd, met wie de concurrentie werd aangegaan – zowel door moeder als zus – sta opnieuw ter discussie. Het lijkt er veel op dat beiden hun frustratie op mij afreageren. Zus, werkzaam in de zorg met dementerende ouderen, lijkt hier haar kans te zien om dan toch nog als winnaar uit de concurrentiestrijd te kunnen komen. Eindelijk heeft zij de kans de beste te zijn. Waar mogelijk wordt alle frustratie van jaren – ondanks de liefde die er zeker ook voor mij is – op mij uitgeleefd. Dit alles onbewust. Wat ik ook zeg, het wordt ervaren als kritiek. Of vervormd teruggegeven. Zelfs Simon, altijd even neutraal als de bank van

Zwitserland, waarmee ik hem weleens plaag, zegt: "Je kunt bij beiden echt geen goed doen." Ik ben blij dat hij het ook opmerkt. Het overlijden van mijn vader en de dementie van mijn moeder zet ons allen op herhaling. Een laatste kans om onze lessen te leren? De ultieme Test voordat ik aan een nieuw hoofdstuk in mijn leven kan beginnen? Wat ik in elk geval te leren heb, is niet meer te knokken en te vechten, mijn best te doen voor anderen (mamma en zus). Ik hoef niet de verantwoordelijkheid voor hun geluk op mij te nemen. Zoals ik dat ooit voor pappa deed. Joke wil niet luisteren naar mijn waarschuwing: "Trek het niet naar je toe. Word nu niet net als pappa haar slaaf, laat je niet manipuleren. Als zij geen betaalde hulp wil, betekent dit niet dat jij haar moet helpen, maar dat ze het zelf moet doen!" En ik hoef nu alleen maar te leren mijn mond te houden. Joke doet het dus wel. Ze lapt de ramen, poetst het huis, haalt de boodschappen, regelt en regelt. En valt tenslotte van haar fiets en breekt haar rechterhand. Zomaar? Binnen mijn denken bestaat zomaar niet. 'Zus, dit ongeluk overkomt je niet zomaar, het dwingt je tot rust en verandering, tot breken met oude gewoonten.' Maar ik leer. My lips are sealed.

Mamma wil geen hulp, ze wil ook geen dagopvang. Ze gaat wachten totdat al die mensen komen. Maar die komen niet. Wat komt is de Eenzaamheid. De grenzeloze Eenzaamheid, die haar niet alleen met zijn klauwen in een ijzige stilte zal houden, maar die ook haar cognitieve vaardigheden in sneller tempo zal verminderen.

Ik heb een afspraak gemaakt voor een kennismaking met de dagopvang. Na onze ziekenhuisbezoeken, volgende week kunnen we gaan kijken. Ik besluit het pas dan ter sprake te brengen. Wil ze niet, dan breng ik haar gewoon naar huis. Ik haal haar niet over, probeer haar niet tot andere gedachten te brengen. Ik moet denken aan haar woorden die ze mijn jeugd lang vrijwel dagelijks als een mantra herhaalde: "Mijn wil is wet." Nu zal haar wil wet zijn. Voor het eerst in mijn leven zal ik een gehoorzaam meisje zijn. En misschien is dit ook wel het meest respectvolle wat ik voor haar kan doen. Misschien is dit wel de bedoeling. Voor haar een manier om de gevolgen van haar eigen keuzes te ontdekken – iets wat pappa haar door zijn meegaandheid veel onthouden heeft – en voor mij een lesje in houden van mezelf.

Stoere woorden, die me later inhalen. Als ik thuis ben, kruipt het schuldgevoel onder mijn huid. Tenslotte is ze al aan het dementeren. Misschien vraag ik toch te veel van haar?

De ochtendzon piept al vanuit het oosten over het dak heen de tuin in. Als ik de tuin in loop, is ze druk in de weer met een doekje en water. Vloekend en tierend, zo blijkt als ik haar nader. "Ik snap er niks van. Thuis heb ik dit nooit. Ik mors nooit. Door die tuintafel mors ik iedere keer." Later morst ze ook aan de keukentafel, en in de auto. Ze morst overal. En het ligt aan de keukentafel en aan de auto, het ligt aan Frankrijk en het ligt aan mij. Het ligt aan alles, maar niet aan haar.

Een goed begin van de dag. ”We gaan een dagje uit, mam”, zeg ik. ”Weg die poetslappen.” Ja, weg wil ze wel, al is ze moe. Beter dan in het saaie dorp zitten. Twee weken is veel te lang, heeft ze aangegeven. Hoe houden wij het daar uit! Zij houdt van reuring, van mensen. “Ik heb altijd contact als ik ergens ben. Mensen willen altijd met mij praten.” Ik zeg niets. De saaiheid zit in haar eigen onvermogen om interesse te tonen in andere dingen dan stilzitten met een sigaret in de hand. Natuurlijk, dementie werkt daar niet aan mee, maar feit is dat ze in haar hele leven weinig belangstelling voor andere zaken toonde. Het liefste praat ze. Stort ze eindeloze stromen woorden van weinig of geen betekenis over je heen in een voortdurende herhaling. Monologen die me martelen.

Sommige mensen, vertelde een vriend die psychiater is, hebben wel dertig jaar Alzheimer. “Denk je, dat zij…?” vroeg ik. Hij schudde zijn hoofd. “Nee. Bij haar is het denk ik zo’n drie jaar geleden begonnen. Zij is gewoon altijd een… lastige vrouw geweest. En nu is ze dus onmogelijk”. “Wist ik maar wat voortkomt uit de Alzheimer en wat uit haar aard…” zei ik. “Waarom wil je dat weten?” vroeg hij. “Dan kan ik er misschien meer geduld voor opbrengen, meer begrip.” Zijn antwoord zal ik niet snel vergeten: “Het resultaat is hetzelfde. Wat jij moet proberen, is het je minder, liefst helemaal niet aan te trekken.”

We gaan dus uit. Zij zit voorin. Simon rijdt. Ik lees de kaart omdat Simon dat niet kan in de auto. Wordt hij misselijk van. Ik word vaak wagenziek als ik achterin zit, maar vooruit. Moedertje moet uiteraard voorin.

En dat gun ik haar ook. Jammer alleen dat ze alles zo vanzelfsprekend vindt. Ze is door pappa altijd zo schromelijk verwend dat ze niet eens meer doorheeft hoe anderen rekening met haar houden. Ook al gaat het om kleine dingen.

Aan het eind van een dag achterin hobbelen met kaartlezen kom ik gaar en half misselijk uit de auto. Op een terrasje waar we een wijntje drinken: "Ik ben doodmoe." Dat begrijp ik. Ze is tenslotte oud. Alleen jammer dat het altijd weer negatief is wat er uit dat bekkie rolt. "Vond u het leuk?" negeer ik haar moeheid. "Ja, het was erg leuk, maar wel erg vermoeiend." "Dat begrijp ik", besluit ik maar, "ik ben ook gaar." "Dat snap ik niet! Jij gaar. Als ik nu moe ben. Ik ben tweeëntachtig. Je bent gewoon een oude zak!" Ze bijt het me toe. Bijna agressief. Alzheimer? Een lastige vrouw?

(Denk aan de vriend, de psychiater, niks van aantrekken!)

Weer later, in de tuin, blaast ze de rook van haar sigaret voortdurend in mijn gezicht. Ik kan er niets van zeggen, want dan heb je de poppen aan het dansen. Dus schuif ik mijn stoel voorzichtig een beetje achteruit. Als door een wesp gestoken, snauwt ze me toe: "O, jé, mevrouw heeft er last van. Denk nu maar niet dat je iemand bent, hoor. Je bent maar heel gewoon."

Het witte brood dat we speciaal voor haar hebben meegenomen, op aanraden van Joke, en dat we elke dag uit de diepvriezer halen, is volgens haar koud en oud. Zij, die nooit bruin eet, eet nu het bruin van mij, waardoor ik klachten krijg. Uiteraard zeg ik niets. Alleen het uitleggen kost me al tien minuten geschreeuw in een oor (gehoorapparaat in andere oor blijft hele verblijf uit; in verband met loopoor) en als ze het al hoort, dan begrijpt ze het niet eens. Aanvoelen doet ze het ook niet. Alzheimer?

Zijn alle Alzheimer patiënten zo egoïstisch?

Simon, rustige, stabiele, onverstoorbare man van mij, wordt kribbig en nors. Aan het eind van de twee weken is ook hij er helemaal klaar mee. We zouden met haar eten onderweg, op weg naar huis, maar besluiten dat zus maar moet koken die avond, als ze toch al bij ma is. Dan weten we nog niet dat zij haar hand heeft gebroken. Ik zeg: "Goed idee, samen eten en uithuilen." Vlak daarna gaat de telefoon. Zus. "Ik heb mijn rechterhand gebroken. Ik kan niet koken voor mamma."

Dus eten we met ma onderweg. Tussendoor rookt ze wanneer ze maar kan. We zitten buiten op een terras, grenzend aan een veld vol kiezelstenen. Er liggen al veel peuken in, dat is waar. Maar wat doet zij? Ze keert haar hele asbakje om – haar eigen bakje dat ze altijd met zich meeneemt – en zegt: "Ik heb het omgekieperd. Ben ik er maar vanaf. Het ligt toch al vol. En het is mijn tuin niet."

Terwijl ik dit alles opschrijf, besef ik dat ik me beurtelings schaam, schuldig voel en tekort voel schieten. Een ontaarde dochter. Die niets begrijpt van Alzheimer, er niet boven kan staan. Hoe eerlijk moet, mag, durf ik te zijn in dit verhaal dat misschien door velen gelezen gaat worden? Zijn er dochters zoals ik? Moeders zoals zij?

Ik weet alleen dat ik dingen tegenkom die ik al van haar ken. Die zij al deed voordat deze afschuwelijke ziekte zijn intrede deed. Tegelijkertijd heb ik de pest in als ik boeken lees waarin dochters en partners hun vader en man met zoveel liefde en begrip in dit moeilijke proces bijstaan. Is dit omdat zij een andere band hadden? Was hier sprake van liefde? Of zijn zij liefdevoller? Betere mensen? Verder? Spiritueler?

Het dementieproces van mamma is en wordt wellicht mijn grootste leerproject. De grote finale.

Ik breng haar thuis. We zeggen weinig. Onderweg krijg ik voor het eerst een kopje koffie van haar. Terwijl ze naar de auto schuifelt, ik kan het niet eens meer opbrengen haar naar het toilet te begeleiden, zie ik hoe mensen vertederd naar haar kijken. Wat een schattig, lief vrouwtje. En ik kan haar - nog steeds – waarnemen door hun ogen: ze ziet er mooier, beter en liever uit dan ze ooit heeft gedaan. Ze is geen knappe vrouw - dat is ze geweest in haar tienerjaren. Nu begint ze er anders uit te zien. Het kind keert terug. En wellicht is het dat wat mensen in haar opvalt. Ze draagt een witte rok met het paarse T-shirt met brede kanten rand langs de V-hals dat ze van Joke heeft gekregen. Het wit van haar rok komt terug in de krullen op haar hoofd. Witte schoenen aan haar magere benen. Daarboven die ogen, zo lichtblauw, vlammend licht. Ik denk aan de jonge broeder in het ziekenhuis die haar een schat vond. Terwijl ze wankelend en aarzelend naar de auto loopt, en ik een paar mensen vertederd naar haar zie kijken, voel ik me een verraadster. Aan de ene kant schuldig, aan de andere kant weet ik dat dit beeld niet klopt met de werkelijkheid.

Bij haar huis valt de tas van de rollator af en zet ze het meteen op een hysterisch krijsen. Dan knapt er iets mij. Wat jij kan, kan ik ook! En ik krijs er nog harder overheen. Meteen heeft ze zich in de hand en zegt ze volkomen rustig: "Nou, jaaaaaa." Ik heb me al die tijd ingehouden omdat ik weet dat Simon niet tegen dit extravagante gedrag kan en eerlijk is eerlijk, mijn gedrag heeft weinig met de waardigheid te maken die ik wil nastreven, maar het gevolg op mijn gekrijs maakt me nu, op de valreep veel duidelijk. Hoe zij moeiteloos kan schakelen, maakt duidelijk hoe goed zij kan toneelspelen. Ik leg de tas weer op de rollator en zwijgend gaan we naar boven. Daar wacht zus die opeens op het idee kwam Chinees eten te halen. Het eerste wat ma doet is zeggen hoe moe ze is. Ze kermt en kreunt. Wat een reis. Joke, een en al liefde, staat klaar om zich over haar te ontfermen. Ik neem afscheid. Geen woord van dank. Als ik wegrijd en nog even naar boven kijk waar zij en pappa me altijd uitzwaaiden, staat er niemand.

HOOFDSTUK 8

ZIJN DIE VROUWEN NORMAAL? ZOALS IK?

We gaan naar het ziekenhuis. Als ik bij haar ben, vertelt ze dat de buurman haar heeft gezegd een oogje in het zeil te houden. "Hij let op me. Zijn vrouw vind ik niet leuk. Maar hij is aardig. Buurvrouw, ik houd je in de gaten, hoor. Ik laat hem ook maar de sleutel houden." Tien minuten later: "De buurman heeft gezegd dat hij een oogje in het zeil wil houden. Hij was ook zo geschrokken die nacht met pappa. Hij houdt me in de gaten. Zij is niet aardig, hij wel..." Tien minuten later, als we de auto instappen: "De buurman zei net op balkon: ik let op je, hoor, buurvrouw. Hij is een aardige vent. Zij is niet leuk. Zij niet. Maar hij..." Ik onderbreek haar. Gillend: "Je laat me niet uitpraten!"

In het ziekenhuis volgt een aantal hartonderzoeken. Haar hart is oké, op een lekke hartklep na, maar omdat ze daar geen klachten van heeft, ziet de cardioloog geen reden om er iets aan te doen. Er moet nog wel een longfoto komen, volgende week. Een tijdje terug hebben ze in de rechterkwab een afwijking gezien, een rond ingekapseld bolletje. Zo ziet longkanker er niet uit, maar ze willen het toch in de gaten houden. Misschien kan het dat wel worden. Ik zeg maar niets over het bolletje, vertel haar alleen over het onderzoek. Ze heeft meteen de pest in. Moet ik weer naar het ziekenhuis? "Ik verdom het. Geen zin in." Ik maak de afspraak toch en zeg: "Als u tegen die tijd geen zin heeft, gaat u niet."

Onderweg, weer in de auto: "Die weken in Frankrijk waren wel leuk, hoor. Maar het was te lang. Een week was goed geweest." Dank u. "We hadden u eerst met Joke vanuit Brussel op de trein willen zetten", antwoord ik, "maar Simon durfde dat niet aan." "O, dat had best gekund", antwoordt ze. Weer een les. Als we voor onszelf hadden gekozen, was zij ook gelukkiger geweest.

De dagopvang is niet meer bespreekbaar, maar ik besluit het over een andere boeg te gooien. "Ma, ik begrijp dat je niet naar een groep mesjokke bejaarden wil. Maar ik heb wel iets anders gevonden. Een leuke club bejaarde vrouwen die in een ontmoetingscentrum bij elkaar komen. Ze praten, doen spelletjes. Ik heb afgesproken dat we er om kwart voor twee even gaan kijken. Gaat u mee? U bent niets verplicht. Alleen maar kennismaken en kijken of u het leuk vindt. Vindt u het niet leuk, dan gaat u er gewoon niet naar toe." Ze kijkt me peilend aan. "Wat zijn dat dan voor vrouwen? Zoals ik? Normaal?" Ik knik. Ja, het zijn vrouwen zoals zij. Normaal. Oké, vooruit. Dat moet dan maar. Ze is moe, maar nog redelijk gemutst als we er naar toe gaan. Terwijl ik met de begeleiding praat, twee leuke sympathieke vrouwen, wordt ma meteen warm begroet en het duurt nog geen vijf minuten of ze staat al mee te sjoelen. Het centrum ziet er leuk uit: een open haard met rondom zitjes, veel spelletjes. Aardige mensen. Als ze dit nu toch eens zou willen. Ik laat haar even achter en heb een gesprek met een van de begeleidsters. Er is plek, heeft deze me door de telefoon verteld, maar nu blijkt er toch een wachtlijst te zijn. Kijk, dat is nu weer jammer. Ma vindt het in elk geval erg leuk en wil graag een dag in de week gaan. Ik weet ook dat ze na een aantal keren opeens kan afhaken, maar vooralsnog is dit fijn. Ook als ze niet wil, of later afhaakt, zo zeg ik tegen mezelf, dat is haar pakkie-an. Niet het mijne. Niet meer druk om maken, zeg ik tegen mezelf. Dit is haar keus, en dement of niet, de gevolgen zijn voor haar. Als ze echt niet meer kan beslissen, wordt het een ander verhaal. We nemen afscheid. Volgende week hoor ik of ma op de wachtlijst komt en wanneer ze eventueel kan komen.

HOOFDSTUK 9

LIEFDE IS OOK DE ANDER ZIJN LESSEN GUNNEN

Twee dagen later. Ik bel haar op. Tegen beter weten in, want ze is zo doof dat ze je aan de telefoon niet kan horen. Een enkele keer gaat het redelijk en verstaat ze een beetje. Dit is een slechte dag. Zij praat, ik luister.

"Met Marga."

"Met Marga?"

"Ja, mam, met Marga."

"Mááááááárga?"

"Ja, Marga."

"O, Márga. Het gaat niet goed. Ik ben zo moe." Ik roep van alles, maar de oren gaan nu dicht, hermetisch.

Dan: "Marga, ik heb nog boodschappen nodig." Daar gaan we. Ga ik de boodschappendienst worden? Weer naar haar toe, aan de andere kant van Haarlem?

Weer een middag weg? Wat nu? Eergisteren, toen ik bij haar was, heb ik nog gevraagd: Moet ik boodschappen doen?" Nee, dat was niet nodig. De volgende dag zou Joke komen. Die zou het doen. Ik voel hoe schuldgevoel en verlangen naar een vrije middag met elkaar strijden. Ben ik egoïstisch als ik voor mezelf kies? Vreemd hoe razendsnel je je 'kasboek verrichte zaken' bijhoudt:

0 heb net twee weken vakantie opgeofferd waarin ik dag en nacht voor haar klaarstond en eigenlijk stank voor dank kreeg; heb nog steeds niet gehoord hoe fijn ze heeft gevonden, alleen maar dat ze liever een week was gebleven in plaats van twee.

IK DOE HET NIET!

0 heb woensdag de hele dag met haar opgetrokken, ben naar het ziekenhuis geweest, de dagopvang, was kwart voor vier thuis.

IK DOE HET NIET!

0 We hebben haar een rollator gegeven in Frankrijk, haar elke dag gestimuleerd met dat ding te lopen, geoefend, zodat ze straks een boodschapje zelf kan doen, we hebben tegen haar gezegd hoe belangrijk het is dat ze elke dag even buiten komt, en dat het goed is omdat ze dan ook mensen ontmoet....Ze kan nog altijd lopen, die beentjes willen nog best.

IK DOE HET NIET! IK DOE HET NIET!

Zij kiest er zelf voor om niet naar buiten te gaan. Zij wilde daar wonen. In haar oude buurtje. En niet dichter bij ons zodat we haar vaker en beter zouden kunnen helpen in geval dat... Ik ben pappa niet. Ik ben haar sloof op afroep niet. Ik hang op. Ze hoort me toch niet en ik sms: pak de rollator en ga er zelf op uit. Het is mooi weer. Zo kom je onder de mensen. Ik krijg geen sms'je terug.

De week daarop gaat Ma naar de damesclub. Het valt haar zwaar. Ze zit in een andere groep dan die waarmee ze heeft kennisgemaakt. Daarin zat een vrouw die ze bijzonder aardig vond. Ik verander de dag zodat ze alsnog bij 'haar' club kan aanschuiven. Als ik haar 's avonds opbel, zegt ze: "Ik weet het nog niet, Mar. We hebben maar een half uur gesjoeld omdat het busje zo laat was. Ik kijk het nog even aan."

Sjoelen wil ze, spelletjes doen. Geen stukken uit de krant voorgelezen krijgen en uitleg geven aan lange, moeilijke woorden. Ze leest zelf de krant thuis. Ook het busje vindt ze een ramp. Het doet er vaak een uur of langer over om haar van huis naar het centrum te brengen, terwijl de afstand met normaal vervoer hoog-uit tien minuten bedraagt. Ook na haar tweede bezoek is ze niet enthousiast. Ze klaagt over vermoeidheid vanwege alle geluiden om haar heen. "Al die pratende vrouwen, door dat gehoorapparaat hoor ik alles nog eens zoveel harder. Ik word er doodmoe van."

De week daarop is de damesclub exit. Zus heeft ze afgebeld. Zo sluit ma het weinige contact dat ze met de buitenwereld heeft buiten. Ze zit nu de hele week alleen in huis, waar geen mens langskomt. Niemand aanbelt, geen levend wezen zelfs maar haar raam of deur voorbij gaat. De buren om haar heen werken. Te midden van het roerige leven, leeft zij in haar stilte, zonder enige prikkel. De huishoudelijke hulp wordt ook na enige weken opgezegd.

"Mar, er is hier gewoon te weinig te doen voor de hulp. Alles is schoon", zegt zus. Ze is op dat moment bij moeder. Ik hoor haar hijgen aan de telefoon. "Wat ben je aan het doen?" vraag ik. "De gordijnen aan het wassen en de ramen aan het lappen." "Dat zou je dus aan de hulp kunnen vragen…" begin ik voorzichtig. "Nee, Mar, dat kan echt niet. Dat redt ze niet in die twee uur." "Ze hoeft toch niet in één keer alle gordijnen te wassen? En de ramen hoeft ze toch ook niet allemaal tegelijk te doen?" "Ja, dat wil ma nu eenmaal zo."

Ik houd me met grote moeite in. "Prima. Als jullie dat zo willen."

Liefde is ook de ander zijn lessen gunnen.

HOOFDSTUK 10

ONVERVALST GEEFT ZE TERUG WAT IN MIJ LEEFT

Om het weekend haalt zus mamma op om bij haar te laten komen logeren. Beiden sterken zij zich aan elkaars gezelschap. Ze hebben het echt gezellig en mamma is alleen maar lief, zegt Joke. Dat begrijp ik. Ze kan ook heel lief zijn. Als jij het bent. Als je doet wat zij wilt. Joke kan het opbrengen en ik heb er veel bewondering voor. Mede door mijn burn-outklachten, die na de dood van pappa en mijn ontslag versterkt zijn, word ik gedwongen vaak pas op de plaats te maken. Ik vertel ze dat duidelijk en zeg dat ik het aangeef zodra ik weer dingen kan doen. Wonderlijk genoeg lijken ze dit, nu ik zo duidelijk een grens trek, te accepteren. Geen gemopper en gesputter meer.

Het contact met beiden staat op een laag pitje. Nu

een belangrijke speler uit het toneelstuk is weggevallen (pa), moeten we wennen aan onze nieuwe rollen.

Op een dinsdag, de 'vrije dag' van ma, vraag ik haar te komen eten en een nachtje te blijven slapen. Als ik haar ophaal, is het gemopper niet van de lucht, maar ik ben weer wat steviger en kan het langs me heen laten gaan. Ik zie meer dan ooit dat zij onvervalst teruggeeft wat er in mij leeft. Dat wil zeggen: als ik niet goed in mijn vel steek, niet rustig en in balans ben, wordt ze heftig, agressief, dwars. Als ik rustig ben en bij mezelf blijf, boven haar emotie blijf staan, ebt haar negativiteit weg en kan ik haar meenemen in míjn energie. Wat had ik ook al weer in mijn voorwoord geschreven? "Je kunt met Alzheimer omgaan als je met jezelf in het reine bent gekomen."

Als we 's ochtends aan de ontbijttafel zitten, zeg ik: "Mam, zo is het goed tussen ons. Wij moeten elkaar niet te vaak zien, maar af en toe. Wij zijn te verschillend. Maar zo voelt het goed." Tot mijn verrassing beaamt ze dit volmondig. "We zijn allebei moeilijk..." antwoordt ze. Nou, dat is dan misschien niet wat ik helemaal wil horen, maar vooruit. Als ik haar die dag naar huis breng, voelt het in mijn hart vele malen lichter.

Ondanks haar terugkerende doodsaankondiging, wordt ze toch weer jarig: 83. We hebben afgesproken dat ik haar 's middags kom halen, dan pikken we Joke op en gaan we bij mij thuis gezellig theedrinken met een taartje erbij. 's Avonds gaan we uit eten. Ze is weer dat lieve aandoenlijke vrouwtje van in het ziekenhuis, een jaar geleden. Haar stem is veranderd. Haar zinnen eindigen in een hoge kinderlijke toon, soms slaat haar stem bijna over. Ze is dolgelukkig dat ik haar kom halen voor een gezellige dag. "Wat ben ik toch blij dat ik jullie heb. Als je geen kinderen hebt, dan is het toch niks."

Die dankbaarheid blijft ze ook tonen in de ontmoetingen erna. Voor haar verjaardag neem ik haar mee naar een pannenkoekenrestaurant. Ze geniet zichtbaar. En soms is haar gevoel van humor weer terug. In de twintig minuten ernaar toe, heeft ze aan één stuk herhaald dat ze bijna wegwaaide door de wind en dat er een vrouw met een kinderwagen voorbijkwam die haar te hulp schoot. Anders had ze gelegen. Ze giert het uit van het lachen.

Aan het eind van de dag, als ze alweer een paar uurtjes thuis is, krijg ik een sms'je: "Marga, dank je wel voor de fijne dag, ik heb ervan genoten, kus". Ik sms terug: "Ik ook. Dat u blij bent, maakt mij gelukkig." En zo voelt het ook. Niets verwonderlijker dan de band tussen een moeder en dochter, denk ik. Het ene moment kan ik haar achter het behang plakken, het andere moment voel ik liefde voor haar. Het is bijna alsof de vakantie Nachtmerrie van vorig jaar zomer nooit heeft plaatsgevonden. Toch mag ik die niet vergeten. Ook toen voelde het als nu, en binnen een paar dagen sloeg het om. We moeten het bij momenten houden; een dagje, een avond, eventueel met een nachtje slapen en een ontbijtje. Van je moeder houden, is een veel beter gevoel. Ja, ma, ik heb u liever lief.

Ik merk hoe mijn houding naar haar toe meer en meer verandert. Is zij zo veranderd? Of is ze veranderd omdat ik anders naar haar kijk? Of zijn we beiden veranderd?

Op een dinsdag moppert ze weer als vanouds als ik haar huis binnenstap. Haar gezicht ziet grauw en grijs; de beige trui trekt het laatste beetje kleur dat ze nog op haar wangen heeft, eruit. Weer die nerveuze handen die aan haar trui plukken. Ik denk aan de woorden van mijn therapeute: je hoeft die trein niet op. Je kunt hem ook voorbij laten gaan. Stap ik op de trein van haar gemopper? Geen denken aan. Ik negeer haar negatieve woorden, geef haar een kus op haar wang. 'Eerst naar het toilet, mamaatje', roep ik. Ze sloft achter me aan. En blijft tegen me praten, terwijl de deur openstaat. Weer in de gang, aai ik haar speels langs haar wangen en zeg: "We gaan er lekker op uit, ma, een pannenkoek eten, goed? We gaan Joke ook bellen. Die wil misschien wel mee. "Dan moet je het nu meteen doen, anders is ze weg," zegt ze meteen. Na ons uitje, stuurt ze een sms'je: "Ik heb erg van jullie genoten, ma."

Langzaam wordt onze band lichter. Ik kan weer lieve schat tegen haar zeggen, en zij zegt ook: ik hou van jou. Ik merk dat ik negatieve herinneringen aan haar wegzet. Ik ontken ze niet. Dat hoeft ook niet. Ze zijn er, maar ik kies er bewust voor er niet in te gaan zitten. Emotioneel neem ik er afscheid van. Het verdriet toelaten is niet meer nodig, dat heb ik al voldoende gedaan. En daar waar het nog gevoeld moet worden, komt het wel naar boven. Daar vertrouw ik op. Mooi is te ontdekken dat nu ook positieve herinneringen naar boven komen. En hoeveel mooier en beter zijn de gevoelens die daarmee gepaard gaan.

Vader en moeder samen met mij naar mijn Franse huisje, toen ik het net had gekocht. Een bijzondere, onvergetelijke week. Mamma en ik, die toen onafhankelijk van elkaar, dezelfde gedachte hadden: dit moet leuk worden, ik ga mijn best doen er iets moois van te maken, niet te moeilijk zijn. Ik herinner me hoe we zingend in de auto door het Franse heuvellandschap reden, onder adembenemende novemberluchten boven okergele en bruine aarde die zich leek uit te strekken tot aan het einde van de wereld. Ik herinner me hoe we 's morgens bij de open haard zaten, en hoe mamma de afwas deed aan het lage, granieten aanrechtje met een afvoergaatje waardoor het water zo via de muur naar buiten loopt, de put in voor het huisje. "Je straatje even schrobben', noemde ze dat. Ik moet er nog altijd aan denken als ik daar afwas. Zij is het allang vergeten.

Vergeten. Ja, ze vergeet steeds meer. Alzheimer doet sluipend, almaar vaker, zijn intrede. Ze heeft gezegd dat als ze merkt dat de Alzheimer erger gaat worden, ze niet meer wil, maar ze heeft inmiddels al niet meer door in welk stadium ze verkeert. Zo vraagt ze me opeens de namen van mijn drie vorige geliefden. Terwijl ook zij zoveel met deze drie te maken heeft gehad. Als we naar de apotheek moeten, stuurt ze me naar de straat waar hij al lang weg is. Ik moet er van haar naar toe. Pas als ze ziet dat hij er niet meer is, is ze overtuigd. Ik vind het pijnlijk. Ze beseft wat er gebeurt. En begint er omheen te praten terwijl we naar de 'nieuwe' rijden. "Maar Mar, ik ben ook nooit in die nieuwe apotheek geweest, daar ging pappa altijd naartoe."

Ik moet denken aan de spot over Alzheimer waarin een man de bank dekt, in plaats van de tafel. Toch maar weer eens meer informatie tot me nemen over hoe er mee om te gaan.

HOOFDSTUK 11

IK STAP ERUIT

Het is alweer een jaar geleden dat pappa stierf. Simon en ik zijn in Frankrijk, Joke is bij ma. Ze gaan samen uit eten en Simon en ik brengen bloemen uit de tuin op de plaats waar we zijn as hebben uitgestrooid. Daarna bel ik met mamma. "Gaat het een beetje, mam?"

"Jawel. Tja, het is kaal zonder hem. Maar met verdriet krijg ik hem niet terug."

Eerder die week. "Mist u hem? Denkt u veel aan hem?"

"Ik hoef niet veel aan hem te denken, ik voel het toch dat hij er niet meer is?"

Hoe lang zal zij er nog zijn? Zelf heeft ze het er regelmatig over: ze voelt dat het einde nadert. En ze vindt het ook wel welletjes. Ze leeft voor de momenten dat wij bij haar zijn. Dan is ze gelukkig, zegt ze. En ze zegt dit zonder te claimen.

Het klopt: als ze bij ons is, zie ik haar werkelijk voor mijn ogen opknappen: het huiswit maakt plaats voor een gezond buitenkleurtje, er komen blosjes op haar wangen en haar ogen stralen. In twee uur tijd zit er een andere vrouw bij ons. Ze kwijnt in haar huis letterlijk weg.

Ik probeer er met haar over te praten. Stel, dat ze ergens een plek in een verzorgingshuis hebben en die aanbieden? Wat doet ze dan?

Ja, geeft ze toe, ze is erg alleen en dat breekt haar ook meer op dan in begin, maar ja, haar vrijheid. Ik besluit niet aan te dringen, noch te overtuigen.

"Het is uw eigen keuze, mam", zeg ik. Maar wat is het moeilijk voor mij om haar wens te respecteren. Om wat ik denk wat goed is voor haar, misschien zelfs beter, los te laten. Misschien is vrij zijn in haar beleving zo'n geluk dat zij de eenzaamheid op de koop toe neemt. Ik kan bovendien wel allemaal mooie gedachten hebben over gezelligheid in zo'n tehuis, maar hoeveel mensen zijn inmiddels niet afgehaakt omdat ze haar te druk vinden? Ik moet er niet aan denken dat ze straks weer afgewezen wordt. Nu ik haar liever begin te vinden en mijn hart zich weer kan openen voor haar, voel ik ook meer de pijn om dit soort dingen. Dat is op zijn beurt ook weer lastig. Als ik haar dan na een gezellige zondagmiddag terugbreng naar haar lege huis en haar daar zo stil moet achterlaten, breekt mijn hart. Al is haar eenzaamheid misschien voor een groot deel veroorzaakt door wie ze is (geweest), nu staat dat mijn medeleven niet meer in de weg.

En dan, net als ik denk dat mijn moedertje voor altijd lief en gezeglijk blijft, komt de prikkelbare vrouw naar boven. De vrouw die snauwt, niet luistert, moppert en alleen maar met zichzelf bezig is. Als ik haar ophaal voor onze chalet-lunch, is ze opstandig. Ze is eigenlijk moe en wil niet mee, maar doet het voor mij. Dat is bekend en gaat vanzelf over, weet ik inmiddels en daar zeg ik dus niets op. Meestal is dat gevoel snel voorbij als ik haar afleid. Maar nu werkt dat niet. Ze blijft boos en recalcitrant. "Ik snap niet dat het niet kan, niet mag. Dat het niet geldig is, als je dood wilt."

"Wat bedoelt u?"

"Nou, hoe heet dat? Dat je geen eu… eu… Hoe heet dat nou?"

"U bedoelt euthanasie?"

"Dat bedoel ik. Dat geldt niet, las ik in de krant van de week. Dat is toch erg! Ik wil daar met de dokter over praten. Want ik wil het echt niet. Als die ziekte erger wordt, stap ik eruit. Hoe ik het doe, doe ik het. Ik verzin wel wat. Van mijn part spring ik uit de ramen, maar ik ga niet zo verder!"

"Maar misschien komt het wel niet zover, mam."

"Denk je dat ik een hart- of herseninfarct krijg?"

"Dat zou goed kunnen, u heeft al een paar beroertes en tia's gehad."

Later, in de zon, strijk ik over haar arm en voel een bobbeltje. "Voel je wat?" vraagt ze, en ze schudt meteen haar arm los. Ze wrijft er wild over en zegt: "Het kan me niet schelen als het een bobbel is. Ik ga liever daar aan dood. Ik wil niet zo worden als die mensen in het ziekenhuis, toen. Weet je dat nog?" Ik denk aan de man met zijn witte 'vogel'.

Ik begrijp dat haar opstandigheid een masker voor de angst is. En daarom kan ik haar laten, alleen als ze haar sigaretten vergeten blijkt te zijn en meteen moppert dat het mijn schuld is, moet ik even slikken. Wonderlijk, hoe ze altijd de schuld bij een ander legt. Ik ben wel dankbaar dat ik dit nu duidelijker dan ooit zie. Ga ik erin zitten? Nee. Terwijl ik de auto instap om sigaretten te kopen, en haar achterlaat met een kop koffie, besluit ik dat dit bij haar hoort en dat ik het loslaat. Ma, dank je wel, dat je nog even op deze aardbol blijft om mij de laatste lessen mee te geven! Ik wil bovendien zo veel als mogelijk van ons samenzijn genieten.

Ik realiseer me opnieuw dat dit alleen kan, als ik in staat ben haar op te tillen. En niet af te glijden in de catacomben van háár geest.

HOOFDSTUK 12

WAT ZE DENKT, WEET ZE ZELF OOK NIET MEER

De hele familie is in shock. Tante Ali (91) is doodgeschoten in het winkelcentrum De Ridderhof in Alphen aan den Rijn. Het is uitgebreid in het nieuws geweest. De crematie is maandag. We vragen ons af of ma er naar toe wil. Dat wil ze. In een oogwenk slaat ze onze twijfels als een lastige vlieg van zich af.

Joke zit achterin, ma zit naast me. Ineengekrompen, alsof ze net geslagen is, afhangende schouders in een veel te warme jas voor deze julidag die verdwaald is in april. Ze heeft haar best gedaan: rozerood op haar lippen en hoog op haar konen witte poeder die bedoeld is voor lagere plaatsen op haar wangen. Haar handen, magerder dan ooit en rood en ruw van het harde werken, liggen radeloos in haar schoot. Alsof ze niet weten wat ze aanmoeten zonder sigaret of stofdoek. Hoeveel sigaretten hebben zij omklemd, hoeveel ramen hebben zij gelapt? Hoeveel kasten en deurposten op zondagmorgen afgestoft?

De stoelen rondom de tafel als trein in de gang gezet om beter te kunnen stofzuigen in de kleine kamer? De 'stoelentrein' die mij als driejarige de weg naar de deurknip deed vinden: mijn weg naar de vrijheid, de grote wereld in. Waar ik een meneer ontmoette die mij erg aardig vond en minder aardige bedoelingen had. Bij de waterkant, op die zonovergoten dag, zie ik hoe ma met haar fiets onder de witte pergola bezaaid met bloemen, op me afrent, voortgedreven door haar angstig moederhart. Hoe ze mij daarna tegen zich aandrukt alsof ze me nooit meer wil loslaten. Hoewel ze daarna vele jaren nog zal vertellen dat ze ons, haar kinderen, liever niet had gekregen, heeft ze haar eigen manier van liefhebben. Binnen haar vermogen, denk ik nu.

Als ik opzij kijk, zie ik dat ze zich heeft teruggetrokken in haar eigen wereld.

Geen woord komt over haar lippen. Ze leeft in haar stilte, en wat ze denkt, weet ze wellicht zelf ook niet meer. Zo blijft ze in de aula, zo blijft ze in de ruimte waar tante Ali opgebaard ligt. Zo blijft ze. Totdat ze nog even afscheid kan nemen van tante Ali. De kist is nog open en ze buigt zich voorover, om daarna met wijd opengesperde ogen, wankelend weer naar haar plek te gaan. Ik krijg spijt dat we haar hebben meegenomen.

En daarmee is het af. Ze komt niet meer terug op tante Ali. De dag erna ook niet. En daarna niet. Niet. Niet.

De volgende ochtend gaan we naar het ziekenhuis. "Zullen we iets nemen?" vraagt ze me.

"Ik wil je bedanken voor gisteren." Initiatief, ze neemt zelf initiatief. Iets wat dementerenden vaak niet meer doen. En wat ik ook meer en meer bij haar mis.

Ik vind het een mooi gebaar. En hoewel ik andere plannen heb, zeg ik volmondig ja. Opnieuw gaan we naar onze favoriete plek, het Zwitsers chalet. Het is een dinsdagochtend en er zit niemand.

Terwijl ik haar aan mijn arm richting tafel loods, moet ik opeens denken aan de laatste keer, bijna een jaar geleden, dat we er met zijn drieën liepen. Haarscherp verschijnt pa in beeld: zijn schuifelende tred, zijn altijd net iets te lange grijze haar wuivend in de wind, zijn lieve, blauwe ogen achter het brilletje van doublé.

Ik hoor hem zeggen: "Ik trakteer." Ik kan hem bijna aanraken, zo echt wordt hij. De tranen springen in mijn ogen, ik kan ze niet meer tegenhouden. "Sorry, Mam", zeg ik, "ik moet opeens aan de laatste keer met pappa denken."

Ze kijkt me onverstoorbaar aan, alsof ze me niet hoort en de tranen niet ziet. Pakt de menukaart en zegt: "Ik neem brood met kroket."

Ach, geen moment kan het zelfde zijn. Zeker niet als er iemand ontbreekt.

De thuishulp gaat voortaan de wekelijkse boodschappen voor haar halen. Fijn. Dat is altijd een heel gedoe, als je ook nog voor jezelf moet shoppen. Meestal laad ik die van haar en mij gelijktijdig in, links in het karretje voor haar, rechts voor mij – en dat lijkt efficiënt. Toch belanden haar toetjes regelmatig in mijn tas, en onze olijfolie die zij nooit gebruikt, in de hare. Het is ook fijn omdat ik nu tijd heb om iets leuks met haar te doen. Voor beiden is dat beter. Het maakt haar gelukkig, al is het voor dat moment, en het stimuleert bovendien haar geest.

Met mijn verjaardag gaan we naar een mooi, oud slot bij mij in de buurt en gebruiken we een high tea. De dementie verloopt heel traag, waardoor ik er zo subtiel in meegenomen word, dat ik soms nauwelijks nog weet hoe ze ooit was. Toch is het de foto die op een ochtend uit mijn boekenkast rolt, die me schrijnend duidelijk maakt in welke staat ze nu is. De foto, waarop ze samen met pappa staat, hooguit drie jaar terug genomen, laat een totaal andere moeder zien.

En als ik na een paar dagen haar herinner aan ons leuke uitje op het slot, weet ze het niet meer. "Weet u nog wat we gegeten hebben, mam?"

Nee. Ze herinnert zich niet meer wat we aten en ook niet waar we waren.

Ik schrik ervan. Voor het eerst wordt duidelijk dat ze iets vergeten is wat zo recent gebeurd is: drie dagen!

Ze wordt boos als ze merkt dat ze niet het juiste antwoord heeft gegeven. "Waarom moet ik dat ook weten? Ik weet het trouwens wel. Bij het chalet." Nog niet zo lang geleden, zei ze: "Als het echt zover is dat ik Het heb, dan stap ik er uit."

Ik weet niet goed wat ik moet zeggen. Wat staat er ook alweer in al die boeken die ik over dementie gelezen heb? Meepraten, geloof ik. Ik laat het maar even zo. Het is nu Moederdag, haar dag. Genieten moet ze.

En dat doet ze. We hebben een rondvaarttochtje gemaakt door de stad, en hoewel duidelijk is dat ze niets hoort van wat de gids vertelt, en ze hele stukken mist van de stad, zit ze lekker in het zonnetje, terwijl de boot door het Spaarne glijdt. Daarna strijken we neer op een terrasje en krijgt ze een sherry'tje.

"Wat een heerlijke dag", zegt ze, "en gisteren was het ook al zo leuk." Gisteren heeft Joke voor haar gekookt: sperzieboontjes met gehakt.

HOOFDSTUK 13

ER IS PLAATS

Ik sta met een onrustig gevoel op. Mamma. Er hangt iets in de lucht. Dan wordt er 's middags gebeld: het verzorgingstehuis de Molenburg. Ze hebben een plek. Er is onlangs gerenoveerd en er is ruimte gekomen voor groepsbewoning voor zeven mensen met dezelfde indicatie als ma. Met uitzicht op het schooltje en dicht bij een park, vertelt de mannenstem aan de andere kant. Ja, vertel mij wat, ik woon al dertig jaar op twintig meter afstand van het verzorgingstehuis. Hoe vaak zie ik niet de rollators met grijze bolletjes erachter voorbij rollen?

Ik besluit te gaan kijken en maak een afspraak voor de volgende dag. Ik wil het er eigenlijk niet van tevoren met ma over hebben, maar als ik haar door de telefoon spreek komt het onderwerp aardig in die richting. Toch maar polsen.

Tot mijn verbazing staat ze er niet onwelwillend tegenover. Wat zegt dat veel! Een jaar geleden was het huis te klein als we dit onderwerp bespraken. De punten die haar zorg baren zijn het gemis van spullen en geld: houdt ze genoeg over dan? Nemen ze haar niet alles af? Wat ooit als hoofdargument gold: de buurt, komt niet meer aan de orde.

Joke gaat mee kijken. Ze heeft de hele nacht niet geslapen. "Ik heb uren liggen huilen". Huilen? "Mar, ik weet uit ervaring hoe het er daar uitziet. Ze heeft alleen een kamertje met een bed en moet de hele dag in de huiskamer zitten, met andere mensen. En stel dat die er ook nog veel erger aan toe zijn dan zij? Ik vind het eigenlijk niks. Ze is nog zo goed. Ze kan nog zo veel."

"Ik had gedacht dat ze een eigen huiskamertje kreeg. Dit klinkt niet leuk. Maar laten we eerst maar kijken. Misschien valt het mee."

We worden ontvangen door Rene, een ex-collega van Joke. Terwijl Joke en Rene bijpraten, lopen we naar de nieuwe vleugel toe.

Alles is fris wit geschilderd, de huiskamers zijn ruim, smaakvol en gezellig ingericht. Er zijn terrassen met tuinstoelen die uitkijken op groen. En dan komt het: de kamers die ze aanbieden zijn groot genoeg voor een aantal meubels. Ze kan de bank meenemen, de stoel met tijgerprint, haar eigen televisie. De televisiekast en een klein tafeltje nog misschien. Joke is zichtbaar opgelucht en ik niet minder.

Rene laat ons twee kamers zien; beide grenzen aan

het dak. Op de een kijk je tegen betonnen dakdelen aan, waar groene strepen van alg doen denken aan de pegels van een druipsteengrot. Hier word je niet vrolijk van. De kamer daarnaast kijkt uit op een groene boom en op een deel van een fraai aangelegde binnentuin.

Joke raakt steeds enthousiaster.

Ik zeg: "Mamma zit vlakbij mij, ik kan als ik wil elke dag even binnenlopen. Al is het maar een kwartiertje."

"Ja, maar doe je dat dan ook?" zegt zus streng. Tja, dat kan ik niet beloven. Dan nadenkend: "Ik kan minder makkelijk hier komen. Als het slecht weer is, tenminste. Er is geen goede busverbinding."

Thuis, aan de keukentafel, vraag ik: "Zal ik ma bellen en zeggen wat we ervan vinden? Ze zal wel nieuwsgierig zijn ."

"Nee, Mar, dan wordt ze nerveus. We doen het morgen wel, als we haar zien."

"Oké." Maar Joke belt mamma later toch. "Ik heb mamma erover gesproken. Ze moet erover nadenken."

"Ja, dat begrijp ik."

Maandagmorgen. We gaan kijken. Ma heeft de hele nacht niet geslapen. Ze zucht als ze bij de auto instapt. "Ik wil mijn vrijheid niet kwijt, Mar. Ik ben eigenlijk zo goed. En ik kan alles nog zelf."

"Laten we eerst kijken."

Ze doet het niet. Ze doet het niet. Als dat zo is, dan heb ik dat te accepteren. Maar wat is dat moeilijk. Het zou zoveel beter voor haar zijn. En – eerlijk is eerlijk – ook voor ons. En dan met name voor zus die de huishoudelijke taken blijft doen, omdat de hulp is afgezegd.

"Die doen het niet goed, Mar, en ik wil niet dat ze verkommert."

Ik kan nog niet altijd niet begrijpen dat je verkommert als er iets meer stof onder je bed ligt en de ramen niet blinken, maar ik ben dan ook geen Miep Kraak, en zo heten deze beide dames wel. Ik houd dus - met moeite – mijn mond.

Bij de Molenburg staat Joke al te wachten. Rene staat erbij. Mams begint meteen tegen hem aan te praten. Dat ze er eigenlijk nog niet aan toe is en dat ze haar vrijheid wil. Ze zet haar hakken in het zand. Terwijl we naar boven gaan, het nieuwe gedeelte om de huiskamer en haar eventuele nieuwe huis(kamer) te bezichtigen, blijft ze aan één stuk doorratelen dat ze alles nog zelf kan etc.

Joke en ik kijken elkaar aan: dit wordt niks. We proberen er niets tegenin te brengen omdat we weten dat dit alleen maar averechts werkt, maar het kost ons beiden grote moeite.

Joke doet nog één keer een poging: "Mam, dit is een kans uit duizenden. Anders moet u misschien nog heel lang wachten en dan weten we niet of u zo leuk terechtkomt." Het helpt niets. Ze wordt steeds onverzettelijker.

Dan grijpt Rene in. "Vinden jullie het goed als ik even met jullie moeder alleen praat? Misschien is het teveel. Zo van alle kanten."

Hij neemt haar mee naar 'haar' kamer en we horen haar achter de deur gedempt met hem praten. Een kwartier later komt ze er vrolijk lachend uit. Ze mag roken in haar kamer, met het raam open. En ze mag ook gewoon haar glaasje sherry drinken. Ze is net zo vrij als thuis, alleen heeft ze meer hulp. En, het allerbelangrijkste blijkt nu: ze hoeft hierna niet weer ergens anders naar toe, als het slechter gaat. Dan mag ze hier blijven. Dat is toch wel mooi allemaal, besluit ze.

Joke en ik zijn helemaal opgelucht. Deze ommekeer hadden we niet verwacht. Daarna gaat ze op het terras met de verzorgsters een sigaretje roken en zit ze gezellig te babbelen.

Opeens zegt ze: "Het is voor jullie ook beter." Voor het eerst denkt ze aan ons. Het verrast me. We drinken nog een kopje koffie beneden in de grote conversatiekamer. Ma: "Ik ga misschien wel eens koffiedrinken, maar ik blijf toch graag op mezelf, hoor."

Er zitten een paar oude dametjes aan een ronde tafel vlakbij ons. Een van hen vangt op wat mamma zegt: "Dat zegt u nu, maar straks zult u merken hoe gezellig het hier is. U komt maar bij mij een kopje koffie drinken, hoor. Om tien uur zit ik hier altijd." Mamma staat meteen op en loopt naar haar toe. Het eerste contact is gelegd. Nu maar hopen dat het weer niet zo afloopt als toen in het ziekenhuis en met vriendin Jetty.

Na het kopje koffie wil ze naar huis. Nog even een boterhammetje bij mij eten, Ma? Ja, dat wil ze wel. Maar ze is nog niet in de huiskamer of ze zegt: "Ik wil weg, Mar. Ik moet op mezelf zijn. Verwerken. Het is toch ingrijpend."

"Natuurlijk, ma." Als ik haar heb thuisgebracht: "Ma, u moet morgen dus definitief beslissen. Dan bel ik u en moet ik aan Rene doorgeven wat u wilt. Goed?"

Ze knikt. 's Middags belt Joke: " Ze heeft besloten. Ze doet het."

Ik vraag die middag als ik ma aan de telefoon spreek, bewust niet naar haar beslissing. "Slaap er nog maar een nachtje over, ma." Dat gaat ze doen, antwoordt ze.

HOOFDSTUK 14

BOOS OP DE HELE WERELD

De verhuizing zit erop. Van alle kanten komen de complimenten over haar mooie, gezellige kamer. Het gaat langs haar heen. Het is teveel voor haar. Het afscheid van haar huis, de nieuwe mensen, het andere leefritme. Haar stille leven aan het eind van de flatgalerij is voorbij, opeens zijn haar dagen vol en druk.

Je ziet haar gezicht met de dag grauwer worden en steeds meer klaagt ze over een niet normale vermoeidheid.

"Ik ben op. Het duurt niet lang meer", kondigt ze aan.

Ik raad haar aan haar eigen tempo te gaan volgen. Rustig aan de dag te beginnen, wat meer koffie- en thee-uurtjes voorbij te laten gaan, hoe gezellig ze het ook vindt.

"Mijn benen willen niet meer", klaagt ze maar.

"Mam", zeg ik, "uw benen hebben vaak geweigerd in uw leven als er moeilijke, emotionele momenten waren. Misschien zeggen ze dat u even moet stoppen, stilstaan bij wat er op dat moment gebeurt? U moet tijd voor u zelf gaan nemen. Balans zien te vinden. Af en toe praten en koffiedrinken met andere mensen en ook regelmatig op uzelf zijn."

Ze knikt. "Ja, dat is zo", zegt ze. En warempel, ze volgt mijn advies op. De volgende ochtend verschijnt ze zelfs in duster aan het ontbijt. Dan hoeft ze zich niet te haasten met aankleden. En daarna kan ze rustig in pyjama een sigaretje roken voordat ze in de kleren gaat. Ook gaat ze 's middags op haar kamer rusten, lekker met haar krantje op de bank.

Het doet haar goed. Ze ziet er vandaag een stuk beter uit. Joke is net bij haar geweest en ze heeft gezellig meegegeten. Als Joke weggaat, besluit ik nog even te blijven. Dat vindt ze leuk, zegt ze. Maar ik merk al snel dat het haar te veel is.

Zij is het beste op zichzelf, zij doet het goed als ze veel, heel veel alleen is. Sinds pappa overleden is en ze geen rekening meer hoeft te houden met een ander, heeft ze minder boze buien. De gedachte dat zij ongelooflijk veel moeite heeft om zich aan te passen aan een ander en dat zij uit balans raakt als ze niet bij haar eigen energie kan blijven, dringt zich steeds meer aan me op. Ook Alzheimer, lees ik ergens. Ze moet nog meer alleen zijn, vermoed ik. Joke en ik achter elkaar is al te veel. Teveel prikkels.

Ze begint over geld. Ze maakt zich grote zorgen over

de verblijfskosten. En ze begrijpt niet dat ik haar nog niet kan vertellen wat ze overhoudt. Het lijkt alsof er argwaan om de hoek komt kijken. Al diverse malen heb ik het haar uitgelegd, en ik probeer het weer opnieuw. Maar het komt niet binnen.

"Belachelijk dat je het niet weet. Je weet toch wat ik aan geld binnenkrijg en dan kun je er toch per maand een bedrag afhalen en dan houd ik de rest toch gewoon over? Ik begrijp het niet." Ze wordt steeds bozer. "Pappa heeft het goed bekeken. Hij heeft rust, ik moet maar afwachten. Ik verdien dit niet. En als je maar weet dat ik hier niet ga zitten met een slabbetje en dichte ogen. Zo ver laat ik het niet komen. Ik verzin wel een manier om eruit te stappen. Ik doe mezelf wat aan. Ik vind wel iets, hoor! Ik weiger gewoon te eten als het zover is, ik kwak het tegen de muur of ik vermoord de dokter. Wacht maar af. Ja, je zit me nu wel aan te kijken, maar jij helpt me ook niet. Je zegt gewoon dat je me niet kunt helpen. Wacht maar totdat jij in deze situatie zit, jij weet niet hoe het is!"

"Mam, ik begrijp heel goed dat je je zorgen maakt en dat je dit zegt."

"Nee, dat begrijp je niet. Jij zit niet in deze situatie. Jij hebt makkelijk praten."

Ik slik. "Mam, probeer het maar per dag te bekijken."

"Per dag? Per uur! Elk uur is er één teveel. Was het maar nacht. Dat ik weer kan slapen. Vergeten. Ik verdien dit niet. Heb je je leven lang gewerkt, en dan krijg je dit. Waarom geven ze je gewoon geen pil? Is nog goedkoper ook! Dit kost alleen maar geld, mensen als ik in leven houden."

Ze is wanhopig, boos. Boos op haar lot, boos op pappa die lekker rust heeft, boos op mij die het niet begrijpt, boos op de hele wereld. Ik denk aan haar buurman, de 84-jarige meneer M., met wie ik in een week tijd vriendjes ben geworden.

Een magere Indonesische man wiens geheugen het ook langzaam laat afweten. Waar zij boos is, is hij verdrietig. Gisteren, toen ik hem spekkoek bracht, stonden er tranen in zijn ogen. Hij pakte mijn hand en zei: "Wat bent u lief." Toen begon hij te vertellen. Hoe verdrietig hij was over het afscheid van zijn huis, over zijn steeds minder wordende geheugen, over zijn eenzaamheid. "Toen ik klein was, wilde ik groot zijn, nu ik groot ben, wou ik dat ik weer een kind was." Hoe verschillend reageren de mensen op dit ontluisterende aftakelingsproces.

Voor het eerst in haar leven is mamma volledig haar grip op de dingen kwijt. Zij die alles in extreme mate onder controle hield, voortkomend uit immense onzekerheid, gebrek aan een stevige basis, is nu met het grootste gevecht van haar leven bezig: overgave. Met lede ogen zie ik het aan. Ik sla mijn armen om haar heen, probeer haar te troosten, maar ze verhardt nog meer. Haar magere armen verstrakken. In weerstand: "En ik ga ook geen koffie drinken straks!" Ik denk aan de knuffel bij binnenkomst, aan haar woorden: "Ja, doe dat maar, nu kan het nog." Ik zou haar willen strelen over dat witte bolletje met die platgeslagen krullen. Over de ingevallen wangen met diepe groeven. Ik zou tegen haar aan willen liggen, haar handen willen vasthouden en zo uren willen zitten, stil, zonder woorden. Want ik voel dat het waar is; zij is nog maar heel kort hier.

In plaats daarvan sta ik op en vlucht de buitenlucht in. Ik zwaai nog even. Zij zwaait boos terug.

HOOFDSTUK 15

EEN VERDWAALDE DOCHTER

Ik zit op het bankje, boven in het bos, waar we pa's as hebben uitgestrooid. Omringd door bomen in goudkleurige lover en zwaar karmijnrood dat ik zo op mijn kwast zou willen zetten. "Pa, wat zou u nu van de hele situatie vinden? Ik ben alleen naar Frankrijk gegaan, pa. Joke zou met ons meegaan, maar het botert even niet tussen haar en mij. Als ik niet oppas, kom ik in een wedloop terecht waarin gevochten wordt om de liefde van ma. Dat wil ik niet, paps. Het brengt me wel bij de vraag: hoeveel betekent mamma voor mij?

Hoewel ik u mis, pa, heb ik daar vrede mee. Ik merk dat alles is opgeruimd tussen ons. In elk geval van mijn kant. Mamma is een ander verhaal. En als ik me ook maar dat ene telefoontje voorstel waarin ik te horen krijg dat zij er niet meer is, slaat het verdriet al toe. Waarom? heb ik me afgevraagd. Natuurlijk omdat het ouderlijk huis dan voorgoed uit mijn leven is. De roots, de basis, hoe wankel die ook altijd is geweest. Maar ook omdat er nog teveel niet is opgelost.

Ik moet denken aan de woorden van een vriendin van mij: "Weet je waarom mensen met overledenen contact willen maken?"

"Omdat ze er nog niet klaar mee zijn."

En zo is het. De dierbaren die ik ben verloren, koester ik in mijn hart, zoals u. Ik mis hen op zijn tijd, maar het is een zoet gemis. Met een glimlach. Er is een zachtheid in mijn hart als mijn hersenen plaatjes van een vroeger, gezamenlijk verleden, laten langskomen. Geen zielepijn, geen hartzeer. Niets vlammends dat je als een mes doorklieft. Bij mamma, pa, voelt het anders. Nu tenminste. Daarom is de tijd die haar en mij nog rest zo belangrijk voor mij. Daarom wil ik haar meer dan ooit zien, bij haar zijn. Joke en zij zijn klaar met elkaar. Ma en ik niet.

O, ja, we komen dichter, dichterbij de laatste tijd. Al worden we door het minste geringste – een misverstand, een dodelijke vermoeidheid waardoor ma in onredelijkheid schiet en zich zonder grenzen te buiten gaat aan een aanval op mij, tenslotte moet iemand de schuld krijgen - ook weer uit elkaar gerukt. Het oude jeugdthema – aantrekken, afstoten - dat zich op allerlei manieren heeft herhaald in mijn leven, ontmoet ik weer nu zij en ik elkaar vaker zien.

Joke heeft net als ik haar eigen rol in dit toneelstuk. Jaren heeft ze jullie beiden meer gezien en bijgestaan dan ik. Ik was er ook, maar op een andere manier. Zij had jullie meer nodig. En jullie wisten dat alle twee. Jullie zeiden wel eens tegen mij: "Wat dat moet worden als wij er niet meer zijn." Soms probeerden jullie om die reden wat afstand te nemen, maar dat lukte niet erg. Het was tenslotte ook zo fijn om samen met jullie dochter die zo lief voor jullie was, leuke dingen te doen.

Jullie huis getuigde daarvan. Waar ook, zag je foto's van gezamenlijke uitstapjes: Joke naast u, in Artis, Joke naast ma in de Keukenhof, Joke en u en mamma – waarschijnlijk gevraagd aan een voorbijganger – alle drie in een zoveelste park van plezier. Was het toeval, dat juist ik in de afgelopen weken jullie huis alleen moest leegmaken, omdat Joke geveld was door een zware griep? Ik, die misschien het meeste op te ruimen had?

Al die foto's, opgehangen in lijstjes of als losse flodders afgeschoten, tussen paperassen van een heel leven, gleden door mijn handen. Soms kwam ik mezelf tegen, als een verdwaalde dochter.

En nu, nu is die verdwaalde dochter opeens meer in beeld dan ooit. Op twintig meter, vijf minuten loopafstand. Zus, streng: "Ga je als ze zo dichtbij je woont, wel vaker naar haar toe?"

Ze zitten met zijn zevenen aan tafel. Twee weken terug nog totale vreemden voor elkaar, nu in een gezamenlijke huiskamer tot elkaar veroordeeld; opeens - op hun tachtigste - hebben ze er een nieuwe familie bij. Een grauw uitziende man praat almaar over zijn loopbaan die al niet meer te tellen jaren achter hem ligt, een dikke, goedmoedige beer zit als een sfinx aan de hoek van de tafel en volgt zonder iets te doen de spinazie die langzaam van zijn slab naar zijn buik afglijdt. Meneer K., een echte heer, glimlacht verstoord om zich heen zonder iets van het gesprek te volgen; hij vertikt het om zijn twee gehoorapparaten in te doen en die heeft hij duidelijk niet voor niets. Er zijn met mamma erbij, twee vrouwen op deze huiskamer. De andere vrouw babbelt aan één stuk door met meneer M. die zich dat allemaal goedmoedig laat welgevallen... Ze worden al snel dikke vrienden en ik noem ze plagend de Duifjes. Dat levert mij van haar een stralende glimlach op. Al moet ik niet denken dat ze verkering wil, zegt ze ferm. Nee, die tijd is voorbij.

Het is etenstijd. Ma zit aan tafel, net als de anderen, wachtend op de bloemkool. Ze is stiller dan ooit. Trekt zich veel terug, in niets meer de vrouw die ze ooit was. Ze vindt er niets aan met die anderen, hoeft dat geklets niet. De kwebbelende Duif vond ze de eerste dagen een schat, maar nu is ze al minder enthousiast over haar. "Moet je zien, elke keer dat geaai over zijn armen. Ze zei laatst tegen mij: je hoeft niet jaloers te zijn, hoor. Nou, dat ben ik niet, heb ik gezegd. Die leeftijd heb ik gehad."

Meneer M. vindt ze wel aardig. Als ze het met mij over hem heeft, noemt ze hem al 'je vriend.' En ik heb meer vrienden, blijkt deze middag.

Als Duifje vertelt dat haar dochter – die meid - niet zo vaak kan komen omdat ze zo ver weg woont, zeg ik: "Nou, ik kom toch vaak hier? Ik kom gewoon voor jullie allemaal. Dan ben ik die meid."

Zomaar, van links, de beer met zijn ronde, blozende wangen en zachte lieve ogen, de kok van de marine die nooit iets zegt, doet opeens zijn mond open. Luid en duidelijk zegt hij: "En wat voor één!"

Hoor ik dat goed? Ik kijk hem verbaasd aan. Ik moet even goed laten doordringen wat hij zegt. "Wat vind ik dat lief van u", zeg ik.

Hij kijkt me aan met stralende blik. Zegt niets. Hij verstaat de kunst. Weet wanneer te spreken, wanneer te zwijgen. Weet hoe zijn woorden kracht bij te zetten. Door stilte. Daardoor galmen ze extra na. Ontroerd ga ik naar huis. Niets voor mij, de zorg, hè, mam. Ik denk aan onze douchepartij in Frankrijk, de zeep die uit mijn handen op de grond glibberde, de irritaties en schermutselingen, de wanhoop en ergernis. Nu dans ik lichtjes met een dankbaar hart over de promenade naar huis. Dank u wel! Zoveel te betekenen door zo weinig. Niet ik alleen voor hem (en de anderen), hij (en de anderen) ook voor mij.

Thuis: "Ik ga dat hele stel uitnodigen voor de Kerst. Met zijn allen over de promenade, met de rolstoel. Ha. Een kerst-high tea, bij de boom. Zijn ze allemaal even uit." Simon grinnikt. En denkt meteen mee: "Moet je van die petitfourtjes nemen. En misschien kan Erik van de huiskamer ook mee, de mensen naar ons huis rollen." Ik moet opeens denken aan die scene uit One Flew Over the Cookoo's nest, waarin een aantal psychiatrisch patiënten voor een middag, uit de inrichting ontsnapt, een boot pikt die ergens ligt aangemeerd en lekker op het water gaat vissen. Als ze willen aanmeren worden ze door politie aangesproken – ze worden natuurlijk al vermist en gezocht – en Jack Nicholson, de aanstichter van het geheel – doet alsof het om een uitstapje gaat van een groep psychiaters. Met een brede voor hem o zo kenmerkende onweerstaanbare glimlach, stelt hij zichzelf als directeur voor, en vervolgens zijn collegae: dokter Zus, dokter Zo, enzovoort. Het opmerkelijke is dat al die patiënten die de gehele film totaal verknipt overkomen, op dat moment ook werkelijk de indruk maken psychiater te zijn.

HOOFDSTUK 16

DE DOOD MAAKT MIJ TOLERANT

Daar staan ze. Honderdentwee pagina's met woorden van liefde, maar ook van boosheid, verwarring, frustratie. Woorden met een lading eronder, van vijfenvijftig jaar leven met mijn moeder. Nu ik weet dat ze binnenkort gaat sterven, voelen alle woorden van de afgelopen anderhalf jaar anders. Meer dan ooit vraag ik me af: doe ik wel recht aan haar? Wil ik dat de mensen mijn moeder zo herinneren? Want zij is niet alleen de vrouw van de afgelopen twee jaren. Zij is zoveel meer. En het is mijn eigen geschiedenis met haar die het beeld van mijn moeder vormen. Die haar neerzetten, beeldhouwen, vormgeven.

Wie ik ook spreek in het tehuis, elke verzorger vindt mijn moeder leuk. Mijn moeder die de wereld tegen zich in het harnas jaagde, die vriendinnen op afstand bracht en mij zo vaak voortijdig de vlucht deed nemen, wordt hier bemind.

"Ik vind haar leuk", zegt Iris.

"Ik had meteen een klik met haar", zegt Erik.

En ik begrijp het. Ik zie hoe zij in de afgelopen maanden verzacht is, ondanks boze, opstandige momenten. Die zij natuurlijk vooral met mij heeft, haar dochter bij wie ze zichzelf kan zijn en zich volledig kan laten gaan. In de huiskamer, samen met haar lotgenoten, toont zij zich soms verrassend empathisch. Laat zij een kant zien die ik juist zo vaak heb gemist.

Als meneer J. er in een onbewaakt ogenblik vandoor wil gaan met zijn rollator, staat zij op en zegt: "Dat moet je niet doen, joh! Voor je het weet lig je onderuit". De ontwapende, soms ook lastige eerlijkheid die altijd al haar grootste deugd was, laat ze ook nu zien. En ik vermoed dat het vooral deze eigenschap is, waarmee ze de mensen voor zich inneemt. Zij wordt steeds puurder, zuiverder. Het zit in haar blik, in elke beweging. Laat het soms ongeremd zijn, er is in elk geval niets aan vernis meer over. Alleen haar kern.

Mijn moeder. Mag ik dit boek straks naar buiten brengen? Doe ik haar daarmee recht? Dat is nu meer dan ooit de vraag. Nu ik weet dat zij er nog maar zo kort zal zijn, weegt elk woord zwaarder. Nog meer dan voorheen, doen ze appel op mijn geweten.

Zo zou het altijd moeten zijn. Elk woord dat wij kiezen, zou altijd in het licht van dit grote geweten moeten staan. Want elk woord dat je naar buiten brengt over een ander mens, is subjectief. Heeft niets met waarheid te maken. Het gevaar is dat wat gezegd is, is gezegd, wat is geschreven, is geschreven. Op het moment dat iets is uitgesproken, moet degene over wie gesproken of geschreven is, gek genoeg altijd het tegendeel zien te bewijzen – mocht het zijn of haar waarheid niet zijn.

Voor mijzelf geldt: ik ga steeds meer voelen dat ondanks alle pijn die ik heb geleden, het niet door haar is, maar door mijzelf. Ik begin te ervaren dat je, op het moment dat je dat werkelijk in je hart toelaat, jezelf bevrijdt. En ook de ander. In een split second, stroomt er iets groters dan groot door mij heen: ik houd van mijn moeder. En alle pijn lost op dat moment op.

Ik weet nu waarom ik deze maanden met haar zo dichtbij mocht meemaken. Ze is dus ziek, ernstig ziek. Al haar geklaag van de laatste maanden: "Het is niet in orde, Mar, het is niet goed", was dus gerechtvaardigd. Haar extreme vermoeidheid, haar gezucht en gekerm, had een gegronde reden: ze heeft longkanker. Een schoteltje vol bloed brengt een dag van ziekenhuis en gesprekken met artsen op gang. Ze schrikt niet van de diagnose. Ze had het al gevoeld. Ze heeft er vrede mee. Dit is wat ze wilde. Beter dan helemaal dement worden, eindigen op de gesloten afdeling het Molenhofje. De wens zich van kant te willen maken, eruit te stappen, wordt ingevuld. Ze mag sterven. Als we na een vermoeiende dag teruggaan naar het tehuis, vraag ik haar onderweg of ze nog even met mij naar huis wil misschien. "Graag." Ik maak een advocaatje met slagroom, al gekocht voor de Kerstbijeenkomst, die nu niet doorgaat. We proosten: "Op het eeuwige leven, mam".

Haar krachten nemen snel af. Al een dag daarna praat ze voor het eerst over pijn in haar schouderbladen, later komt de pijn ook in haar handen. Ze krijgt voor het eerst morfine. Omdat we na de uitslag van die ene foto hebben besloten dat er geen onderzoeken meer volgen, weten we ook niet hoe lang het nog ongeveer gaat duren. De verzorging heeft vanaf dag één een morfinespuit met slaapmiddel klaarliggen. Erik neemt elke dag afscheid van mamma alsof het de laatste keer is. Ik zelf heb die neiging ook. Het maakt me nog bewuster van elk moment met haar. Leven in het nu, dat is waar het om gaat. De dag na de uitslag begint ze weer over een euthanasieverklaring. De dementie was al reden genoeg om euthanasie te willen, nu ze longkanker heeft, weet ze het helemaal zeker. Dit is eigenlijk wat ze wilde. De legitieme kans op een zelfverkozen dood. Of ik haar wil helpen. Hoe komt ze aan een dergelijke verklaring, hoe pak je dat aan? De dokter heeft het wel even in het kort verteld, maar hoe doet ze het? De euthanasie is haar wens. Als ik haar help met het opstellen ervan, ben ik dan medeplichtig aan haar dood? vraag ik me af. Ik eerbiedig haar wens. Maar eraan meewerken is iets anders. Sta ik erachter dat zij haar lijden wil verlichten? Ik heb er de laatste tijd veel over gelezen. De kwestie van alle kanten geprobeerd te bekijken. Ook in spirituele boeken heeft men een verschillende kijk op het voortijdig beëindigen van het leven. In één ervan lees ik: "De persoonlijkheid kan het willen, maar als de ziel een andere agenda heeft, dan is de euthanasie in strijd met de ziel. En de stem van de ziel is hierin het belangrijkste." In een ander boek lees ik: "alleen als de ziel toestemt, zal de euthanasie ook plaatsvinden. Het kan dus nooit fout zijn."

Al ben ik er nog steeds niet uit, ik besluit haar te helpen. Ik heb een tekst voor haar geschreven en zij schrijft hem na. Ik heb lijntjes getrokken op het witte maagdelijk vel om te voorkomen dat haar letters het papier afdansen. Daarna schrijft ze moeizaam mijn woorden na: "...ik wil dat mijn leven beëindigd wordt bij ondraaglijk lijden..." Af en toe zucht ze: "Wat een lange tekst, Mar. Kan hij niet korter?" "Nee, mam, dit is de kortste versie." Ze is blij als het laatste woord geschreven is. Dan schuif ik hem in een enveloppe: mijn moeders wil om te sterven.

Daarna zit ze stil in haar stoel. Met grote ogen, die nergens naar lijken te kijken. Alsof ze hopeloos verdwaald is. Nietig en verloren in mijn zwarte vest dat opeens een Grieks oud vrouwtje van haar maakt. Ze heeft het koud. Ik ook. We kruipen dicht tegen elkaar aan.

"Ik ben toch zo blij dat ik jullie heb."

We maken er elke dag wel grappen over. Als we proosten, zeggen we:

"Ma, een behouden thuiskomst."

"Ik denk dat pappa al weet dat u komt".

"Ja, dat denk ik ook. Die staat al met een bos bloemen op me wachten."

Als ik te hard scheur met de rolstoel, gilt ze het uit van de pret. "Laat me maar gaan, Mar." Haar gepermanente krullen wiegen in de wind.

We spelen ook veel Mens erger je niet. Ze vliegt over het bord en vertelt zich regelmatig.

"Mam, u loopt te hard, u rekent niet goed."

"Wéeeel! Je denkt toch niet dat ik lieg!!! Nee, dat is niet leuk, Mar. Ik ben eerlijk."

"Ja, Mam, maar u vliegt met de poppetjes, daardoor vergist u zich soms..."

"Nee!" krijst ze en mept per ongeluk alle poppetjes van het bord. We zetten ze maar willekeurig ergens neer; ze wint toch altijd. Is kampioen zessen gooien. Pa, die het vrijwel dagelijks met haar speelde, kocht op een dag bij een feestartikelenwinkel een dobbelsteen met een magneet achter de kant waarop een zes zit. Hierdoor viel de steen bij elke worp op de zes. Nooit zal ik zijn gezicht vergeten toen hij achter elkaar aan de winnende hand was. Natuurlijk kon zijn victorie niet lang duren, maar de lol was er niet minder om. Ik heb geen magische dobbelsteen en verlies keer op keer.

"Je kunt gewoon niet tegen je verlies", gilt ze geagiteerd.

Ik laat haar begaan; de dood maakt mij tolerant. Maar als ik tenslotte de deksel op de doos doe en naar huis wil gaan, zegt ze: "Ik zal minder hard lopen de volgende keer, Mar."

"Dat is goed, mam."

"Ik zal sluipen..."

Ze zwaait me na, als ik haar kamer verlaat. Een oud, mager vrouwtje, met een zachte glimlach. Is dat mijn moeder? Ja, dat is mijn moeder.

HOOFDSTUK 17

SLAPEN MET FRANS BAUER

Ik probeer haar zoveel mogelijk te zien. Vrijwel elke dag vraag ik haar mee naar mijn huis. De trap in huis kan ze niet meer nemen. Gelukkig kan ik haar in een rolstoel via een loopbrug naar mijn huis brengen.

Ze hoeft er maar één keer uit voor een afstapje. Straks kan ze dat ook niet meer en dan houden de bezoeken aan mijn huis op. Nu proberen we er nog zoveel mogelijk uit te halen. Hele middagen zit ze lekker aan de sherry en babbelt ze honderduit. Lange tijd was ze stil, zei ze weinig meer, de laatste tijd lijkt het, merkwaardig genoeg, alsof ze helderder van geest wordt. Soms is ze tegen hyper aan; volgens zus kan dat door de morfine komen. Als ze op een gegeven moment stoplichten voor kerstbomen gaat aanzien, begin ik inderdaad te geloven dat de morfine meer dan zijn werk doet.

Zondagavond. We gaan met zijn drieën – Ma, zus en ik – naar de Chinees. Ze is zo moe al.

"Kan het wel, ma?"

"Ja, ik wil het", zegt ze.

De morfinespuit gaat mee; inmiddels een trouwe metgezel. Joke mag hem vanuit haar functie toepassen. Ik niet.

"Zou je het emotioneel aankunnen?" vraag ik. Ze twijfelt.

"Goed. We nemen hem mee, en mocht hij nodig zijn en je kunt het niet, dan bellen we 1-1-2."

Het eerste wat ma bij binnenkomst in het restaurant vraagt, is:

"Mag ik hier roken?"

De ober met acht haren in gelid schudt zijn hoofd.

"Dan ga ik eerst roken", besluit ze.

De 84-jarige junk verlaat stralend met zus het restaurant. Terwijl ik met een glas sherry en twee mokjes thee achterblijf.

Ik roep de ober en vertel hem dat mijn moeder ernstig ziek is en dat we niet te lang kunnen blijven, omdat ze dat niet volhoudt. Kan hij het buffet misschien iets eerder openen, voordat de meute binnenkomt? Hij is één en al begrip.

Als Junkie terug is, staat haar lievelingssoep al op tafel: tomatensoep. Ze eet weinig meer. Ze hield altijd van Fu Yang Hai en Ko Loo Youk. Maar nu vindt ze het niet meer lekker. Ze prikt een paar keer in het ei en vraagt dan of ik het wil. Maar ze geniet intens. En Joke neemt de zoveelste foto.

Na het eten zouden we naar haar kamer gaan om nog naar Sterren op het Doek en Boer zoekt Vrouw te kijken. Bij haar thuis kan ze kijken én luisteren met de speciale koptelefoon. Die past niet op het oude televisietoestel van mij en Simon. Maar… ze heeft van Erik gehoord dat je via Teletekst 888 ondertiteling kunt krijgen op Nederland 1, 2 en 3. En dus wil ze bij mij kijken. "Mar, ik vind het fijner om bij jou te zijn. Zolang het nog kan. Dan ben ik er even uit."

Wat later zitten we met zijn drieën met onze neus zo ongeveer in de buis. Want die oogjes van haar willen ook niet meer. Ze heeft het heel koud, ik dek haar toe met een warme kasjmier omslagdoek. Terwijl we kijken, voel ik opeens haar ijskoude hand in de mijne. Terwijl zij opgaat in boer Marcel die nog steeds alleen is, kijk ik naar die magere doorleefde hand. Blauwe aders en ouderdomsvlekken die ik nog niet ken. Haar trouwring die te groot is geworden en al een paar keer is afgevallen, hebben we geblokkeerd met twee kleinere ringen. Wat een vreemd, onwerkelijk idee dat ik deze hand die ik nu nog zo onder de mijne voel leven, straks nooit meer zal zien en voelen. Dat hij tot as zal worden, uitgestrooid bij pappa, in Frankrijk. Dat ik haar gezicht, mij zo vertrouwd, nooit meer zal zien.

Later, als Joke door Simon naar huis wordt gebracht en ik haar in de rolstoel naar haar huis rijd: "Mar, ik denk dat Joke het heel zwaar gaat krijgen als ik er niet meer ben. Ze hangt zo aan mij. Wil je op haar letten?"

"Ja, mam, dat doe ik."

In haar kamer, help ik haar in haar pyjama. De stippeltjes uit Frankrijk. Ik sla haar bed open, en leg Frans Bauer bloot. In grote letters staat er op haar kussensloop: “Heb je even voor mij?”

Straks ligt haar witte bolletje op Frans. Ik lach, en zij lacht mee.

HOOFDSTUK 18

ALLEEN VEILIG IN BED

De morfine is in korte tijd haar compagnon geworden. Desondanks is ze rustig en tevreden. Ze lijkt meer te genieten van de dingen dan voorheen. Soms lijkt het net alsof het niet waar is. Ze heeft geen longkanker, ze gaat niet dood. En dement is ze al helemaal niet.

Elke dag gaat ze naar buiten, wat ze in haar vorige huis nooit deed. Dan zit ze dik ingepakt, met sigaret en pufjes, op het terras. Samen met de blinde meneer. In het begin zeiden ze niet veel tegen elkaar. De dove en de blinde. Maar langzamerhand zijn ze aan elkaar gewend geraakt. Ze heeft hem niet verteld dat ze gaat sterven. Dat vindt ze niet nodig.

Ik kom haar tegen in de gang. Met jas en omslagdoek eroverheen. Dat laatste heb ik haar een paar dagen terug aangeraden. Haar magere benen in de dunne broek werden ijskoud. Haar omslagdoek biedt hier soelaas.

"Hé, Mar, ik was net van plan om naar buiten te gaan. Jij wilt zeker naar binnen?"

"Dat wil ik niet, maar het is niet verstandig om daar te zitten na al die blaasontstekingen. De kou trekt op in mijn toch al zo koude voeten. Maar als u wilt, ga gerust. Dan kom ik een kopje koffie brengen, pak ik u lekker in, en dan zie ik u gewoon morgen."

Even staat ze in tweestrijd. Wat/wie kiest ze? Het wordt het terras. Ik vind het niet erg.

Zij kiest wat voor haar op dat moment belangrijker is. Het is haar leven. Haar moment. Het is prachtig te ontdekken dat ik dit zonder een spoortje van teleurstelling kan aanvaarden. Zij heeft altijd voor zichzelf gekozen. Dit heeft enorme gevolgen gehad voor mijn persoonlijke ontwikkeling en veel verdriet in mijn leven gegeven. Hoe onbeduidend klein dit voorval ook mag lijken, het staat voor zoveel. En dat ik dit haar gewoon kan gunnen, zegt mij hoe bevrijd ik ben.

Ik breng haar naar het terras, dek haar toe. Ik druk haar een kus op haar wang en zeg: "Tot morgen, ma."

Ze knikt en lacht. Ze is bijna al meteen in gesprek met de blinde meneer. Ik kijk nog lang naar haar in het trapgat, dat vanaf één raam precies haar stoel laat zien. Niet eerder heb ik haar zo rustig en liefdevol zien praten met iemand. Haar drukke nerveuze gebaren zijn verdwenen. De voortdurende irritatie die tussen haar nervositeit door almaar in haar ogen opstak en haar gezicht in rimpels van ergernis zetten, is als een douche na een modderbad van haar af gespoeld.

Er is innerlijke rust aan het komen. Er hoeft niets meer. Ze hoeft ook niet meer te scoren. Pas nu zie ik - nu het er niet meer is – dat ze zo vaak haar best heeft gedaan om door een ander geaccepteerd te worden. Wonderlijk, hoe de dingen juist door hun afwezigheid, opeens klaarhelder worden.

Ik neem haar lieve lach voor de blinde meneer met me mee en stuur hem in gedachten naar pappa.

We gaan lunchen bij de Molenplas. Dat wil zeggen: ik. Zij is vergeten dat ze ook een boterham buiten de deur zou eten. Ze wordt boos als ik zeg:

"Ma, gaat u mee? Ik heb wel trek."

"Ik heb al een boterham gegeten", bijt ze me toe.

Ik ben verbaasd omdat we hadden afgesproken sámen iets te nemen. Ik geloof dat je een dementerende er dan beter niet aan kunt herinneren, omdat het dan ervaren wordt als falen. Ik zeg daarom: "Dat geeft niet. Maar ik wil wel iets eten, mam."

Ze wordt toch boos. Boos omdat ze beseft dat ze het vergeten is. Denk ik. "Die ene boterham is toch niet belangrijk!" moppert ze.

"Mam", zeg ik rustig, "Het is niet belangrijk. Ik heb alleen zin in een boterham."

"Ja, jij. Maar ik niet. Ik eet niet, hoor."

"Dat is goed. Maar hoe ís het eigenlijk met u? Heeft u wel energie? Wilt u wel weggaan?"

"Ja, ik wil wel, maar ik ben erg moe. Het is vandaag een heel slechte dag."

"Mam, het hoeft niet. Zeg het maar."

"Laten we maar gaan. Ik wil wel. Dan zijn we er even uit."

Ik help haar bij haar jas aantrekken. Ze wil deze keer niet met haar pantoffels naar buiten, ze móet haar schoenen aan. Ze staan linksonder het bed, zegt ze. Ik kijk links, maar zie niets. En til dan de sprei in het midden wat op. Ze krijst. "Nee, links! Links!" "Ze staan er niet, mam."

Nog harder: "Jawel! Jawel!"

Vanaf de bank kijkt ze nu mee. Nee, ze staan er niet. Mm. "Dan heeft de werkster ze naar achteren geschoven, dat heeft ze laatst ook gedaan. Pak mijn wandelstok!"

Ik, haar onderdaan, pak de stok en dweil de schoenen onder het bed vandaan. Het belooft een leuk uitje te worden.

Ik zet haar in de rolstoel en we gaan naar buiten. Ze vertelt voor de tiende keer dat het eten slecht is, sinds het personeel zelf moet koken. Het is ook mijn dag niet. Ik heb veel aan mijn hoofd en die ochtend een zwaar, emotioneel gesprek gehad met een verzekeringarts. De tranen branden achter mijn ogen. Maar zij, die stervende is, is met zichzelf bezig. En dat kan ik haar niet kwalijk nemen. Ik heb het alleen niet in huis vandaag om met liefde en innerlijke rust naar haar te luisteren, er voor haar te zijn.

Buiten vertel ik haar dat ik vrijwilligerswerk moet gaan doen en dat men mij heeft voorgesteld een middagje te schilderen en te tekenen met ouderen. In de huiskamer vonden de meeste oudjes het leuk, vertel ik haar. "Hoe vindt u het, mam?"

“Ik vind er niks aan. Je moet er maar zin in hebben.”

Wat later vertel ik haar dat ik een bijzonder gesprek heb gehad met een arts, om het verhaal van het slechte eten maar eens even te onderbreken.

“Het was een heel bijzondere man”, zeg ik.

“Jij ontmoet altijd bijzondere mensen. Ik nooit. Maar ja, je weet natuurlijk wel wat je moet doen om goed over te komen, hè?”

Als ze niet zo ziek was geweest en mijn moeder, dan had ik nu een klap gegeven. Ik ploeg met de rolstoel door grasveld om de weg naar restaurant Molenplas af te snijden; mijn boosheid geeft me zoveel adrenaline dat de pollen natte aarde om onze oren spatten. Wat ben je toch soms een kreng, denk ik.

Een paar mannen van mijn leeftijd lachen en één van hen zegt”: “Weet u wat mijn vriend net zegt? Het lijkt er wel op alsof die mevrouw de rolstoel met de dame erin het water in wil rijden. Ha, ha.” Ze komen niet meer bij.

“Waarom lachen ze zo hard, Mar?”

Ik mompel: “Ze denken dat ik u in het meer wil duwen.”

Bij het restaurant aangekomen, wil ze per se buiten zitten. “Ik zit elke middag buiten, Mar.” Dat is zo. En er is nog een reden: er kan worden gerookt. Het meisje van de bediening is zo attent om de buitenverwarming aan te zetten.

Ma zit een paar minuten later achter een sherry, ik ga aan de muntthee en bestel een tosti.

Ze kijkt er met walging naar. “Hé get, wat vies. Hé get.”

Ik haal diep adem en kijk uit over het water. Het is een grijze januaridag. De bomen tekenen zich als donkergrijze strepen tegen een gesluierde hemel af, als slierten uitgelopen mascara op een te oud, rimpelig gezicht. Ik zwijg. En kijk.

Zij: "Dat ik nu nog, terwijl ik doodga, in dit stadium, moet opspringen om iets van het eten te zeggen. Dat niemand anders dat durft. Twee keer in de week patat. Met sperziebonen, of die vieze bonen. Of macaroni. Dat kan toch niet, Mar."

Ik zwijg. "Wat ben je stil. Waarom zeg je niets?" Je dementerende moeder vertellen dat je het verhaal al twintig keer hebt gehoord en even zoveel keren al antwoord hebt gegeven, kan niet.

Ze zucht. Haar gezicht staat nors, boos. Ongelukkig. "Ik had vanmorgen de dokter op bezoek. Ze vroeg of ik al weet wat ik wil. Ik voel me zo rot. Vandaag is het echt heel erg. Maar hoe kan ik nu zeggen wat ik wil? Het is heel moeilijk, Mar. Heel moeilijk. Het is een strijd."

Ja, ik begrijp dat zij in gevecht is met zichzelf en met haar ziekte. Wie kan bepalen wanneer het moment komt waarop je weet: en nu is het genoeg geweest, nu wil ik sterven. Ik begrijp dat dit haar bezighoudt en dat ze het antwoord niet zo makkelijk kan vinden. Wat anders kan ik zeggen dat ik kan begrijpen dat ze hiermee worstelt?

"Ja, mam," zeg ik dus, "ik begrijp dat het moeilijk voor u is."

"Ja, dat zeg je wel zo makkelijk. Maar jij staat er niet voor."

"Dat is zo."

"Je zult het maar hebben. Pappa. Die had het makkelijk. Doodgaan aan je hart. Lekker. Maar dit is veel moeilijker. Ik vind het niet eerlijk. Ik vind niet dat ik dit verdiend heb."

Ik kijk hoe het grijze water rimpelt in de regen die nu zachtjes naar beneden komt. Ik denk: hoe weten we wat we verdiend en niet verdiend hebben? Hebben we wel een goed, objectief zicht op onszelf om dat te kunnen beoordelen? Kennen we de levenswetten? De levensagenda waarmee we worden geboren? Kennen we onze lessen waarmee we hier gekomen zijn? Wat niet verdiend lijkt, kan wel eens precies zijn wat we over onszelf hebben afgeroepen om van te leren. Het heeft bovendien nooit zin om te roepen dat we iets niet hebben verdiend. Het maakt ons tot slachtoffer van iets machtigers dan onszelf, terwijl we beter kunnen kijken naar hoe we met de situatie die voor ons ligt, kunnen omgaan.

We zitten naast elkaar, onder de luifel met verwarming, aan het meer. De moeder en de dochter, dichtbij één, maar met een wereld ertussen.

"Je zult er maar voorstaan, Mar. Wat zou jij doen? Hoe zou jij je voelen?"

"Ik weet het niet, mam. Ik zou het ook heel moeilijk vinden. Het moet zo'n rare gedachte zijn dat je weggaat en nooit meer op dezelfde wijze terugkomt. Dat je deze wereld achter je laat. De mensen die je kent, je huis, je persoonlijke spullen. Heel raar..."

"Ja, precies. Jij denkt daar nooit aan, maar ik wel."

"Ik denk daar vaak aan, mam."

Verbaasd. "Jij?"

"Ja. Ik ben ooit ook bijna dood geweest."

"Ja, hoor. Nou, dat kennen we wel. Vertel dat dan maar eens."

"Dat is een heel ingewikkeld verhaal."

"Ja, nou, en? Vertel het dan."

Ik zwijg weer. Ze zou er niets van begrijpen, er niets van geloven. Waarom ben ik er ook over begonnen?

"Nou, zie je wel. Het is gewoon een of ander gek verhaal natuurlijk weer."

Het is een lastige conversatie vandaag. Maar ik begrijp dat zij zich vandaag, nu zij zich slechter voelt dan ooit, meer dan anders bezighoudt met wat gaat komen. Als zij strijdt, angstig is, wordt ze boos, nukkig, gaat ze al wat haar lief is, trappen.

Ze steekt nog een sigaret op. "De zenuwen gieren door mijn keel."

"Bent u bang, mam?"

"Bang? Ik weet het niet. Ik kan niet eens meer ergens op reageren."

En dan...: "Ik voel me alleen veilig in mijn bed." Bang dus. Doodsbang.

HOOFDSTUK 19

IK WIL NIET VERDER ZO

Ze heeft besloten. Ze wil dat de dokter maandag komt en euthanasie in werking gaat zetten. Ondanks dat dit te verwachten was, komt het toch keihard binnen. Op dagen dat ze redelijk goed was, leek het proces zich te stabiliseren, dan kreeg ik de indruk dat het nog maanden kon duren. Die gedachte gaf me ook meer rust, ik kon dan wat vaker thuisblijven; er is nog tijd, nog tijd. Ik kon het soms even parkeren. Nu besef ik dat dit een soort van overlevingstactiek is. Een truc van je hersenen, anders houd je het niet vol. In het nu leven is iets wat je vandaag de dag vaak hoort, maar hoe intensief is dat niet. Of ik doe iets verkeerd. Leef in het nu, met de gedachte dat ze er straks niet meer is. Dat hoort natuurlijk niet in een vreugdevolle nu-beleving, maar heeft als voedingsbodem angst. Pff.

Joke vertelt het me door de telefoon deze ochtend. En ik barst in snikken uit. Volgende week is zo heel erg dichtbij.

Ze komt vanavond nog bij ons eten. Aarzelt zelfs al daarover omdat ze zich zo beroerd voelt. Ze kan niet meer beslissen. Wil het liefst in bed blijven, of op de bank.

Ik hak de knoop voor haar door. Niet omdat ik perse wil dat ze komt, maar omdat ik denk dat het toch voor ons allen een goede afsluiting is. Ook voor haar.

Ik sms Simon en vraag hem één keer hardlopen over te slaan; nog een laatste keer samen eten. En het niet te laat maken voor haar.

Ze vraagt me of ik de roddelblaadjes nog wil halen, en twee pakjes sigaretten.

Ik pak de gas- en lichtpot met alle keurig opgevouwen briefjes van twintig erin; jaren sparen, geld in gelid. Hoeveel avonden met schaarse verlichting liggen aan de basis van dit kleine kapitaal, hoeveel dagen van zorgen, tellen, rekenen, en zeker de laatste jaren onnodig. Er was geld genoeg, maar zij – de twee ouden die hun leven lang elk dubbeltje moesten omdraaien – konden er niet aan wennen dat dit niet meer nodig was.

"Mar, dat afscheid is toch moeilijk. Dat blijft", zegt ze, "of het nu is of over een paar maanden, en ik voel me zo rot. Ik wil niet verder zo."

"Daar heeft u helemaal gelijk in", zeg ik.

Maar afscheid blijft afscheid. Ons leven is maar een toneelstukje en we zullen elkaar ooit weer zien, daarvan ben ik zeker, maar haar niet meer aanraken, haar niet meer horen en kunnen zien, dat is een onwaarschijnlijk iets.

We zitten met zijn vijven in haar kamer: Joke, Mamma, Erik – verzorger en hoofd van de huiskamer – de dokter en ik. De dokter vraagt haar waarom ze haar leven wil beëindigen. Heel rustig antwoordt ze: "Het is genoeg geweest. Ik ben bijna vierentachtig. Ik ben op en ik word niet beter. Voor de kinderen wil ik het ook niet."

We zeggen allemaal dat het niet om de kinderen gaat, maar om haar.

De dokter vertelt dat er nog een gesprek met haar volgt, na een paar dagen, om te kijken of ze er dan nog steeds zo over denkt, en dat daarna een gesprek komt met een onafhankelijke arts, iemand van buiten. Mamma knikt. En herhaalt dat ze het mooi vindt zo.

Erik en de dokter vinden haar erg dapper. "Het komt niet zo vaak voor dat mensen euthanasie doorzetten. Mensen geven het aan als ze gezond zijn, dat ze het willen móchten ze ziek worden. Maar als het werkelijk zo ver is, krabbelen velen terug. Dit is een heel moedig besluit."

Ook Erik vindt het knap. Hij zit naast haar op de bank. Ze pakt zijn hand en zegt: "Hij is mijn maatje." Erik die haar een zoen geeft voordat hij naar huis gaat, als zijn dienst erop zit. Erik die haar 's avonds verwent met een glaasje advocaat met slagroom. Eric die 'lieverds' roept, als we samen Mens erger je niet spelen.

Het gesprek heeft haar uitgeput. De moeheid lijkt in elke porie van haar huid te zijn gekropen. Joke wil nog even blijven en een kopje koffie drinken, op de rand van haar bed.

Maar ik zeg: "Kom, Jo, ze wil alleen zijn, denk ik, ze moet het verwerken."

We gaan samen naar een restaurant, gelegen aan het water. De vorige week zat ik er nog met mamma. Het is heel koud buiten nu. Maar de zon schijnt voor het eerst in weken. We kruipen achter het raam en bestellen hetzelfde.

Jo neemt er alleen één glas wijn bij. En daarna nog één. Ze is heel emotioneel en de tranen glijden over haar wangen. "Ik zal haar zo missen. We hebben het zo goed gehad de laatste maanden. Al die keren dat ze bij me logeerde. Ik heb intens van haar genoten. We hadden het altijd leuk. Dan lag ze naast me in bed, Mar, op haar zij, en dan pakte ze opeens mijn hand. Soms vielen we zo in slaap samen."

Die tederheid in haar gebaren herken ik. "Mooi, hè?" zeg ik.

"Ze was zo'n lieve moeder..."

Ho, ho, nu moet ik toch protesteren. Niet omdat ik nog met pijn zit, niet omdat ik weer het verleden wil oprakelen, maar dit klopt gewoon niet. "Ze is niet áltijd lief geweest. Ze was eigenlijk helemaal niet lief. Ze was een moeilijke vrouw, gecompliceerd en vaak egoïstisch. Ze kon dominant zijn en ze was neurotisch. En ja, ze had ook heel lieve kanten. En ze heeft op haar manier heel veel van ons gehouden. Maar ga haar niet nu al idealiseren."

“Ik wil me de mooie kanten van haar herinneren, Mar”.

“Ja. Dat begrijp ik. En dat is mooi. Ik ook. Maar misschien krijgen die kanten juist meer waarde als je de andere kanten ook kunt zien. Door mamma mooier te maken dan dat ze is, ontken je de minder mooie dingen die er ook waren. En ontkenning van iets dat bestaat, kan het andere ook niet volledig laten bestaan.”

“Ja”, geeft ze toe, “mamma was niet altijd makkelijk, maar ik had veel minder problemen dan jij.”

“Dat is zo.”

“Toen pappa doodging had ik veel minder verdriet. Met mamma is het veel moeilijker.”

“Hoe komt dat, denk je?” vraag ik.

“Mamma’s liefde moet je verdienen. Alles is veel intenser met haar.”

“Wat zeg je dat mooi. Ja, dat is het. Ik ervaar het net zo.”

Wat later. “Mar, ik wil bij haar waken straks. Mag ik dan bij jullie slapen?”

“Ja. Je mag altijd komen. Ik houd van je, en ik zal altijd voor je zorgen. Je hoeft nooit alleen te zijn.”

Ze staat bruusk op. Loopt naar het toilet. Ik zie hoe ze met een wild handgebaar haar tranen onzichtbaar probeert te maken voor de andere gasten. De zon schijnt in al zijn uitbundigheid over haar broodje roerei en schittert in haar witte wijn.

Later in de middag, bel ik mamma. “Ik wil u graag nog even spreken en zien. Is dat goed, mam?” Ja, dat vindt ze fijn.

Als ik kom, wil ze eigenlijk niet meer praten over het gesprek van de ochtend. Ze wil ontspanning. En dus pak ik het Mens erger je niet bord. We spelen alsof ons leven ervan afhangt. Wat een rare woordspeling, eigenlijk. Ze had beloofd over het bord te sluipen, maar ze vliegt erover alsof ze in de snelste straaljager zit. Ze verslaat me keer op keer. Gooit telkens exact het aantal stippen dat nodig is om van het bord te jagen. Ze schatert het uit. Vergeten de euthanasie, vergeten de moeheid, de pijn. "Mam, we zullen het spel meegeven."

"Ja, dan kan ik daar verder spelen", grapt ze.

Nadat ik vier keer van tafel ben gemept, vind ik het welletjes. Ik laat haar met haar glorie achter.

"Ik ga nog even achter het raam staan, Mar."

Aan het eind van de gang met ramen, sta ik bij elk raam stil en zwaai ik naar haar. Weer een raam, weer een zwaai. Tot op het trappenhuis. Een wit stipje met wapperende handen is alles wat ik daar zie. Mijn mamma.

HOOFDSTUK 20

NA DE CREMATIE TRAKTEERT MA

Ik moet in verband met vrijwilligerswerk in de ochtend in het tehuis zijn, en besluit nog even bij haar langs te gaan.

Wat is ze blij. "Mar!" roept ze verheugd.

"O, wat heerlijk," denk ik. Ze is in een zachte, goede bui. Misschien wel omdat er een last van haar is afgevallen. Ze is heel lief, streelt me over mijn rug, pakt mijn hand. Nu ik weet dat het afscheid heel dichtbij is, wil ik almaar bij haar zijn. Wie had dat gedacht? Het voelt zo licht, zo liefdevol. Wat ben ik dankbaar dat ik haar in mijn hart heb kunnen sluiten.

"Mam, wilt u vanmiddag misschien toch nog een keer bij ons komen? Ik heb veel boerenkool gemaakt. U kunt zo mee-eten."

Dat wil ze wel.

Jo komt onverwacht ook binnenlopen. Zij heeft hetzelfde gevoel als ik: zoveel mogelijk bij mamma zijn. Ze wil niet blijven eten omdat ze voor het donker thuis wil zijn, maar ze wil wel mee voor een borrel. We zetten ma in de rolstoel, een extra deken over haar heen voor de kou. Het is min zes graden, gevoelstemperatuur min tien. De oostenwind blaast me bijna uit mijn jas. Joke doet haar rode hoedje af en zet het op ma's witte krullen.

"Nee, dat moet ik niet. Ik heb nooit een hoed gedragen, nu ook niet. Ik kan wel tegen de kou. Vroeger al."

Ik sjees met de rolstoel over de bevroren promenade.

Zie je wel, Mar", roept ma, "dat ik ertegen kan. Ik heb er niks van", roept ze.

We geven haar alles wat ze lekker vindt, advocaatjes met slagroom, glaasjes sherry. "Ik sta op mijn kop!" roept ze. Maar ze geniet. Dan hebben we het toch weer over de crematie. Wat wil ze? Wel of geen dienst? En wat wil ze op haar kaart?

"Dat het mooi is geweest", zegt ze.

"Wilt u – net als pappa toen- uw portret op de buitenkant erbij?" Ja, dat vindt ze mooi. Samen met haar schrijf ik de tekst. De sterfdatum laten we open.

"Ja, dat weet ik nog niet, hè?" "Nee, mam, nog niet."

Later zitten we samen voor de televisie. Ze pakt mijn hand weer, en zo zitten we hand in hand te kijken. "Mar, als jullie me hebben weggebracht naar het crematorium, gaan jullie dan met zijn drieën uit eten. Ik trakteer. Uit de pot."

Een paar dagen daarna is er weer een gesprek met dokter Astrid. "Je hoeft er niet bij te zijn, hoor, Mar", zegt mamma. "Maar als je wilt, mag het wel."

Ik was het niet van plan, maar als ik haar in de middag nog wat snoepjes kom brengen, hoor ik stemmen in de haar kamer; de dokter en Erik. Ze hebben het gesprek bijna beëindigd.

Ik hoor Astrids zachte, vriendelijke stem: "Dus, mevrouw van Doorn, u krijgt twee middelen, eerst een inslaapmiddel, en daarna geef ik u een middel dat uw spieren verlamt. Dus ook de hartspier, en dat betekent dat u doodgaat. De meeste mensen sterven dan meteen, soms duurt het nog een kwartier of een half uur." Mamma knikt, maar heeft het duidelijk nog niet goed verstaan.

"Hoe lang duurt het dan nog? Een paar dagen?"

"Nee", antwoordt de dokter, "het gebeurt meestal meteen."

"O, niet gek", zegt ze.

We schieten alle drie in de lach. "Het is wel duidelijk", zegt Astrid.

"De volgende stap", gaat Astrid verder, "is dat er een SCEN-arts komt, een onafhankelijke dokter. Die wil dan nog een keer van u horen of u echt graag wilt sterven, mevrouw van Doorn. En hij wil weten of u niet bent beïnvloed."

Mamma knikt. Als de dokter en Erik weg zijn, blijf ik nog even bij haar zitten.

Ze is aangeslagen. Ze vindt het allemaal heel moeilijk, maar ze blijft bij haar besluit. Ze pakt me bij mijn hand. "Ik kan niet meer, Mar."

Het is vrijdag. Ik ben om half één bij haar. Ze heeft amper gegeten. Moppert op alles. Ze is op van de zenuwen. Ik kan haar niet bereiken. Ze is ver weg. Haar ogen staren weer in vertes die alleen zij kent: wellicht gedachten over hoe de SCEN-arts te overtuigen van haar wens. Gedachten over hoe de crematie te regelen: wel of geen dienst? Gedachten aan sterven, weggaan van hier waar pijn en vermoeidheid de dag uitmaken. Ik pak een blaadje en zo zitten we een uur te wachten. Gespannen kijkt ze naar de klok. Haar nervositeit hangt als een zware wolk in de kamer en ik voel: ik kan maar beter niets zeggen, me zo goed als onzichtbaar maken. Zo zitten we stilzwijgend.

"Hè, waarom heb je dat blaadje nu weer dichtgedaan? Nu weet ik niet meer waar ik ben gebleven."

"Hier, mam."

De leesbril gaat weer op. We lezen beiden weer verder.

En de klok tikt de tijd weg.

Tot het bijna twee uur is. De dokter zou tussen één en twee komen en kijk nu toch eens…

"En al die tijd zonder sigaret", zegt ze opeens. Het was me niet eens opgevallen dat ze niet rookte in dat uur.

"Waarom niet?" zeg ik verbaasd, "als u wilt roken, rookt u toch?"

"Nee, dat kan niet als die dokter komt. Stel je voor, Mar, dat hij het ziet." Zij die bang is voor het oordeel van een ander, dat heb ik nog niet eerder meegemaakt. "Wat kan u dat nou schelen? U gaat dood! Steek op die peuk", zeg ik, en zoek naar haar sigaretten.

"Ja, maar, denk je niet dat…."

“Ik ga bij de deur op de uitkijk staan, mam, en als hij eraan komt, dan klop ik op de deur.”

“Ja, ja, dat is een goed idee, Mar”, zegt ze terwijl ze er snel één opsteekt, “klop dan twee keer.”

“Goed, twee keer.”

Ik ga de gang op en besluit vast richting deur te gaan, zodat ik hem in de verte zie aankomen, dan kan ik haar op tijd waarschuwen. Maar als ik de gang inloop, passeer ik een kamer en daar zitten Astrid en vermoedelijk de SCEN-arts samen aan een bureau. Astrid kijkt op.

“Mijn moeder is op van de zenuwen en ze zit nu een sigaret te roken. Ik heb beloofd dat ik op de deur zou kloppen als u er aan zou komen. Ze wil niet dat u het ziet. Wilt u mij straks even de kans geven om haar te waarschuwen?” Ze moeten allebei lachen.

“Prima”, zeggen ze. “We zijn bijna klaar.” Ik loop naar mamma terug en ga haar kamer in. Verschrikt drukt ze meteen haar sigaret uit.

“Nee, hoeft nog niet, hij is er nog niet. Maar ik heb hem wel gezien, hij komt zo, mam. Steek die sigaret maar weer op. Dan kunt u hem nog even afroken.”
“Ja, maar dan ruikt hij het!”

“Maakt niets uit.”

Snel, met bibberende hand, zet ze er het vuur weer in. Het gaat om een peuk van een centimeter, schat ik zo. Ze heeft hem nog niet aan, of er wordt op de deur geklopt. Ze drukt hem snel weer uit. De SCEN-arts stelt zich voor en gaat naast haar zitten.

“Mevrouw van Doorn, ik begrijp dat u dood wilt. Kunt u me zeggen waarom?”

Ze kijkt hem aan, met die grote blauwe ogen. "t Is niks meer. Niks." En ze vertelt over de moeizame dagen met pijn en loodzware vermoeidheid. Benen die niet meer gaan, armen die niet meer willen.

"Wilt u dan niet meer behandeld worden? Misschien kunt u nog wel een behandeling krijgen…."

"Nee", zegt ze ferm. "En wilt u niet meer blijven leven voor uw dochters? Heeft u nog plezier aan dingen?"

"Ik wil dood", zegt ze, "ik ben op. Ik ben vierentachtig. Het is mooi geweest. Ik kan niets meer. Mezelf niet eens aankleden."

Af en toe voeg ik iets toe. Hoe lang ze al doodmoe is, niets meer kan en zich rot voelt. En dat we al een jaar weten dat er een vlekje op haar longen zit en dat we toen al besloten hebben daar niets mee te doen. Dat we toen al wisten: geen behandeling, maar gewoon verdergaan. Tot de dood.

Dan wil hij alleen met haar praten. Dat hoort zo volgens het protocol. Het duurt niet lang. Haar wens om te sterven is helder.

Als de arts weggaat, vraagt ze meteen: "Gaat het door?"

Astrid knikt.

Ik zie hoe er duizend kilo van haar schouders glijdt. Alle spanning van de voorafgaande dagen hebben haar gezicht nog grauwer en vermoeider gemaakt. Ze is bovendien al dagen niet meer buiten geweest, op haar terrasje. Het is te koud en ze kan er nog amper naar toelopen. "Nu kunnen we het over de datum hebben", vervolgt Astrid. "Als ik naar mijn rooster kijk, kan het aanstaande dinsdag of vrijdag. Of de week daarop. Maandag krijg ik in elk geval alle papieren. Vanaf dat moment is het dus mogelijk. Maar de beslissing is aan u."

Het is lang stil. Het lijkt alsof het niet meer binnenkomt. Haar ogen dwalen maar heen en weer. Kijken naar niets. Hoe kan iemand naar alles kijken en tegelijkertijd niets zien? Ze zucht en zucht. Rookt en rookt. Astrid en ik zeggen even niets. We beseffen beiden dat het teveel is voor haar.

"U heeft tijd nodig, hè, om het eerst een beetje te verwerken." Ze knikt.

"Ja, het is erg veel geweest. Ik wil nadenken."

"Dat is goed."

Ook komt ze er maar niet uit of ze een dienst wil met de crematie of niet. "Ik wil dat nog aan Joke vragen, wat zij ervan vindt."

"Goed, mam."

Ik spreek met Astrid af dat ik haar bel zodra ik mamma's beslissing weet.

Dan komt Joke binnen.

Mamma is blij dat we er zijn, maar ze kan het niet meer aan. Het heeft al haar energie gekost.

"We gaan, mam. En dan komen we vanavond samen nog even een advocaatje met slagroom bij u brengen. Is dat goed?" Ja, dat vindt ze een goed idee.

Als we 's avonds bij haar komen, ligt ze languit op haar bank. We maken met ons mobiele telefoontje een filmpje van haar.

"Dat zul je wel vaak bekijken", zegt ze.

Ik heb het telefoontje net en het gaat drie keer mis,

maar elke keer weer gaat ze er echt voor zitten en vertelt ze toch nog met een stralende glimlach die ze uit haar tenen haalt hoe blij ze is dat we zo'n goede tijd hebben gehad de laatste maanden en ze bedankt ons voor alles wat we voor haar hebben gedaan.

"Ik heb van jullie genoten", zegt ze. Daarna is ze uitgeput. En wij ook.

Joke blijft bij ons slapen. Ze slaapt vrijwel meteen, aan één stuk door.

Het is ochtend. Vriesweer. Min tien.

Simon maakt het ontbijt; heerlijk warme broodjes van de bakker.

Joke en ik hebben onze stoelen voor het raam geschoven en kijken naar de vogels die af en aan vliegen; sinds ik een 'totempaal' met voer heb opgehangen, lijkt het de aanvliegroute van Schiphol wel.

"We moeten niet te lang blijven," zegt Joke. "Nee, ze zal wel doodmoe zijn."

"Maar het zou wel handig zijn als ze toch al een beetje weet wat ze wil. Welke datum."

Al pratende komt ze toch op vrijdag uit. Een paar dagen daarna zal ze die beslissing toch nog weer even betreuren. Ze hikt er tegenaan. Het duurt lang. "Mam", zeg ik dan, "u heeft dat alleen maar kunnen ontdekken door die beslissing te nemen." Maar dat is hogere wiskunde voor haar. We blijven die zaterdagochtend maar even. Ze is nog heel zenuwachtig.

Zondagmiddag gaan we met zijn drieën bij haar Mens erger je niet spelen. Met zijn vieren is nog spannender, vindt ze. Ze is vastbesloten te winnen, maar tot twee keer toe is alle winst voor Simon. Wat opvalt is dat ze er vooral op is gebrand mij van het bord te vegen. Gefocust op mij geeft ze Simon alle kans zijn poppetjes in zijn hok te krijgen. Zij en ik... tot op het laatst toe strijd. Ze scheldt en tiert. Totaal ontremd. We zullen het maar zenuwen noemen. Ze zit helemaal in het spel. Kan blijkbaar al het andere vergeten, en dat is het belangrijkste. Als we zo met zijn vieren zitten, zou je niet denken dat hier een stervende aanwezig is die geen plezier meer in het leven heeft.

De volgende ochtend is ze kapot. De hele nacht heeft ze niet geslapen, ondanks de zware pijnstillers en slaapmiddelen. Joke en ik zijn samen bij haar, maar aan alles is te merken dat ze ons eigenlijk niet bij zich kan hebben. We gaan. Laten haar achter met haar eigen afscheid.

's Avonds heb ik een afspraak met Erika van de uitvaartonderneming. Zij heeft ook pappa's uitvaart verzorgd. En dat heeft ze zo mooi en warm gedaan dat we bewust voor haar kiezen. Het is gek hoe er gepraat wordt over het leven, terwijl het over de dood gaat. Het wordt een bijzondere avond.

Mamma heeft inmiddels toch aangegeven dat ze een afscheid wil, ze wil niet alleen door ons drieën naar het crematorium worden gebracht. Ook heeft ze aangegeven dat ze de dienst van tante Ali zo mooi vond, in een kleine kamer, intiem bij elkaar. Erika weet een mooie locatie. Het blijkt de plek te zijn waar ik afgelopen jaar met mamma en Joke een high tea heb genomen. Toen zaten we alleen buiten, in de zon.

In de dagen daarop komen nog allerlei mensen langs. Mevrouw Bendijk, haar oude buurvrouw. Ontroerend om die twee na zoveel jaren samen te zien. Beiden hebben tranen in hun ogen. Hoe lang hebben ze naast elkaar gewoond? Hun kinderen zien opgroeien? Hun zorgen met elkaar gedeeld?

De ontmoetingen en telefoontjes van oude kennissen en buren zijn goed voor haar. Maar ook uitputtend.

Joke en ik doen bewust een paar passen achteruit deze week. En zo is het opeens woensdag. Alle telefoontjes zijn geweest, het laatste bezoek is weg. Nu is ze er dan voor ons.

Ze komt samen met Iris net over de gang, uit de douche. Een ontroerend oud vrouwtje met allemaal natte krulletjes op het hoofd. Haar lange roze ochtendjas fladdert om haar magere benen. Niet eerder zag ik haar enkels zo dun, ik schrik ervan. Iris kleedt haar aan, terwijl we er bij zitten. Ze trekt mamma een kanten broekje aan.

"Mam, wat pikant, op uw leeftijd!"

Iris lacht. "Ja, dat zei ik ook al, ik heb dat hier nog nooit bij een oude dame gezien."

Als Iris weg is, gaan Joke en ik samen, elk aan een kant naast haar zitten. Ze is een en al zachtheid. Zo zoet. Ze pakt ons beiden vast en zegt: "Zullen jullie niet al te verdrietig zijn, als ik er niet meer ben? Niet te lang huilen, hoor." Daarna schuift ze de twintig euro op tafel naar me toe.

"Dat zat nog in mijn portemonnee. Is voor jullie. Moeten jullie maar delen. En o, ja. Dit is mijn pasje van het Zilveren Kruis. Vergeet je ze niet op te zeggen, Mar? En vergeet je ook niet de Doopsgezinde Kerk?"

We laten haar de rouwkaart zien. Ze vindt hem prachtig. Telkens pakt ze hem weer op.

"U mag hem hier houden, als u wilt, mam", zeg ik.

Dat wil ze wel.

HOOFDSTUK 21

TWEE VOOR TWAALF

En dan is het haar laatste levensdag. Ik probeer elke minuut, iedere seconde zo bewust mogelijk mee te maken. Tegelijkertijd besef ik dat de tijd me inhaalt. De minuten aangeregen tot uren, tot een middag, een avond, een dag, hebben geen boodschap aan een morgen die in het teken van de dood zal staan. Ze aarzelen geen moment, trekken zich niet terug, duren niet extra lang. Ze vliegen voorbij als straaljagers. Ze maken een streep in de lucht, die even vluchtig is als alle andere secondes die ooit aan deze dag zijn voorafgegaan.

Als ik haar kom halen, is het eerste wat ze zegt: "Mar, ik ben zo beroerd geweest vanmorgen. Ik werd heel raar in mijn hoofd, en daarna was mijn rechterarm verlamd. Ik kreeg er pijn in en hij werd stijf." Terwijl ze het vertelt, begint haar linkerarm te trekken. En ook in haar hoofd, zegt ze, doet het raar. "Ik word niet goed, Mar". Het zal toch niet zo zijn, denk ik, dat ze uitgerekend vandaag nog een hersenbloeding krijgt en naar het ziekenhuis moet.

"Ga liggen, ma, ik roep Erik."

"Erik, mijn moeder is niet goed. Ze heeft weer verlammingsverschijnselen. Nu in haar andere arm."

Erik rent naar haar kamer.

"Hoe gaat het, mevrouw van Doorn, wat voelt u?"

Hij besluit er een collega bij te halen.

"Misschien een tia", opper ik, "daar heeft ze er al vele van gehad*. Dat kan best, he, door de spanning..."

Erik knikt. De collega komt. Die stelt voor oxazepam te geven. Er wordt nog even overlegd met de dokter. En dan glijdt het zoveelste pilletje naar binnen. Ach, wat maakt het uit. Als ze maar meekan.

"Mam," zeg ik, "we maken ons nergens meer druk om, hoor. We zien wel wat er gebeurt. U gaat gewoon lekker mee en we maken er een fantastische dag van."

Ze knikt. "Je hebt gelijk", zegt ze. Ik zet haar in de rolstoel. Voor de laatste keer. Alles voor de laatste keer. Ik wil er niet de hele tijd aan denken, maar het flitst vele malen door mijn hoofd. Als ze binnenkomt en op de bank gaat zitten, zegt ze voldaan: "Wat heerlijk hier te zijn. Dit is toch veel fijner dan daar. Ik voel me altijd meteen beter als ik hier ben... "

"In een normale omgeving", vul ik aan. "Ja".

Wat later komt Joke binnen. Terwijl ik sherry inschenk voor mamma, roept Joke naar me toe dat mamma een bloedneus heeft. Gek allemaal. "Maakt niet uit", roepen we tegelijk. Mamma begint te praten en ze houdt niet meer op. Ik zet een bandrecorder aan, voor haar laatste gesprek. Als ik haar dat de volgende ochtend vertel, roept ze uit dat ze er niet eens iets van heeft gemerkt.

Ze vertelt over haar jeugd, de zestien vriendjes die ze heeft gehad, hoe ze pappa heeft leren kennen, ze ratelt aan één stuk door. We zingen liedjes van Frans Bauer, ik film haar terwijl ze haar hoofd met de bijna dove oren op de van ver gehoorde cadans van Frans zijn lied, meedeint en de tekst half en half mee brabbelt. Ze geeft haar laatste restje energie. Dat is aan alles te merken. Dan pak ik haar handen tussen de mijne; ik voel mijn liefde stromen. En ook in haar ogen zie ik alleen maar haar liefde voor mij, voor ons. Zoveel licht, zoveel zachtheid.

"Mam", zeg ik, de woorden rollen er gewoon uit. Ik weet niet eens wat ik wil zeggen, ze komen gewoon, zij hebben vandaag niet het verstand als dirigent. Het is alleen mijn hart dat spreekt.

"Mam, het was niet altijd makkelijk. U was – en opeens floep ik het eruit – vaak een rotwijf."

Ze knikt. Ik vervolg: "Maar ik heb het begrepen. Het is niet meer belangrijk meer." "Jij was ook niet makkelijk", is haar antwoord. Ik zal dat nooit kunnen beamen, noch kunnen ontkennen. Ik zal daar nooit met objectieve ogen naar kunnen kijken. Dus ik neem haar woorden tot me. Niets meer. Niets minder. Het maakt niet uit wat zij vindt. "Hoe dan ook" vervolgt ze, "eind goed, al goed. En dat is belangrijk."

“Zo is het. Ik houd van u”, zeg ik.

“Ik ook van jou”. En er daalt een regen van kussen op me neer.

Hoe moe ze is, blijkt wel als ik daarna voorstel om even niets meer te zeggen, maar een beetje te lezen. Dat vindt ze onmiddellijk goed. Maar… ze is haar leesbril vergeten.

“Laat maar”, zegt ze, als ik aanstalten maak om hem te gaan halen.

“Dat wil ik niet.”

“Jawel”, zeg ik, “het is uw laatste dag. Als u wilt lezen, ga ik hem nu halen. “

Wat later zit ze met haar brilletje op nog in de Privé te lezen. Joke en ik zitten stil naast haar. Wat is het vredig. Niemand zegt iets. De zon piept de kamer in; de halsbandparkieten krijsen het uit op de in de wind dansende pinda’s. Af en toe kijken Joke en ik elkaar even aan. Kostbare, nooit meer in te halen tijd.

’s Avonds eten we haar lievelingskostje: bloemkool. Ze eet het met smaak op. Ik heb voor het eerst van mijn leven een maïzenasausje gemaakt, met nootmuskaat. Haar sausje. Ze heeft om een saucijsje erbij gevraagd. Zij, die nooit veel vlees eet, die altijd de helft van wat ik op haar bord leg, aan Simon geeft, eet nu alles op. Dan komt het grand dessert: dit is haar moment. We hebben alle drie, onafhankelijk van elkaar chocolademousse gehaald, haar favoriete toetje. Met recht een grand dessert. Na het eten doen Simon en Joke de afwas. Nog nooit eerder kreeg ik haar zover dat ze even op de bank wilde liggen. Nu wel. Wat zegt dat veel.

Ik schuif een kussen onder haar hoofd. Dek haar toe met een dekentje en haar voeten krijgen de kasjmier omslagshawl die ik haar voor haar verjaardag heb gegeven. Ze heeft haar armen op haar buik gelegd. Haar handen op elkaar. Heel vredig ligt ze zo, met haar ogen gesloten en een glimlach om haar lippen. Zo ligt ze morgen. Precies zo, denk ik.

Dan wil ze nog Twee Voor Twaalf zien. Eigenlijk is ze te moe. Maar ze vindt het zo leuk en het is voor het laatst.

We schuiven de groene oorfauteuil naar de televisie toe en planten haar er pal voor. Joke en ik gaan aan weerszijden zitten.

Ik kijk niet. Alleen af en toe naar haar. Ik kan me niet voorstellen dat dit echt haar laatste avond is. Ik geloof dat het lichaam een omhulsel is en dat de ziel terugkeert naar de plek waar ze vandaan komt. Toch is het onwezenlijk om afscheid te nemen. Ze zal op gezette tijden misschien bij ons zijn als we aan haar denken en misschien zal ik haar aanwezigheid soms zelfs kunnen voelen, maar ik zal haar nooit meer zien op deze wijze. Ons toneelstuk samen zit erop. Dat is, hoe goed je er ook op probeert voor te bereiden, niet te bevatten.

We zitten hand in hand. Eindeloos vaak heb ik naar haar handen gekeken, om ze nooit te vergeten. Die rode, grove werkhanden die een leven lang hebben schoongemaakt, geboend, gepoetst. Ook in mijn huis. Werkhanden, maar altijd met verzorgde nagels, keurig gevijld en voorzien van blanke nagellak.

En dan is het zover. Einde Twee voor Twaalf.

"Zullen we nu gaan?" vraagt ze.
Twee voor twaalf.

In haar kamer. We slaan het dekbed terug. Leggen haar pyjama klaar. Eén van de verzorgsters komt meteen aanlopen en vraagt of ze mamma kan helpen met uitkleden. Nee, denk ik. Elk moment met haar wil ik. Ik wil haar uitkleden. Haar in haar pyjama helpen. Het is mijn moeder. Begrijpt ze dat nu niet?

"Ik kom zo nog wel even met u praten", zegt ze, na enig dralen.

Nee. Dat wil ik ook niet. Mamma wil nog een uurtje alleen zijn. Zonder gesprekken. Dat heeft ze aangegeven. Niet nog met iemand praten en een sigaret roken. Ik zeg het in haar plaats. "Mijn moeder wil nog een uurtje alleen zijn. Wil je haar dat geven?" De verzorgster knikt.

"Dag, mam. Tot morgen", zeg ik.

"Dag, mam, tot morgen", zegt Joke.

"Dag, schoonmoedertje, tot morgen", zegt Simon.

HOOFDSTUK 22

DAG MAM

Het is nog donker en ijzig koud als Joke en ik om negen uur de deur uitgaan. We zijn stil terwijl we de trap naar het verzorgingstehuis oplopen. Als we op haar kamer komen, zit ze al klaar met haar knalroze duster aan.

Iris is er. Zij is speciaal op haar vrije dag teruggekomen. Dokter Astrid wil graag dat zij erbij is.

"Wilt u nog pap, mevrouw van Doorn?"

Mamma kijkt mij aan. Ze weet het niet. Pap? Terwijl ze zo doodgaat?

Als Iris weg is, vraagt ze mij: "Wat zal ik nu doen?" Tja, ik weet het ook niet. Het lijkt me wat raar. Ik lust überhaupt geen pap.

"Doe nu maar", zegt Joke. En dus schuifelt ze het

naar binnen. Joke: "Wij doen het ook altijd. Alles doen we zo normaal mogelijk."

Normaal mogelijk? Maar dit moment is toch niet normaal? Het is tien voor half tien. Ik wil de film stopzetten. Ik wil doen alsof het niet gaat gebeuren. Ik wil er nog een dag bij. En nog een dag. En nog één. Maar ik ben niet de regisseur van deze film. De hoofdrolspeelster zit aan tafel. Aan de pap.

Als mamma die op heeft, wijst ze op haar armbanden. "Die zal ik maar afdoen, hè?" Er wordt geknikt. Ze legt ze op tafel. De zilveren armbanden die ze dag en nacht om had. Dan volgt haar ketting. En tenslotte haar ringen.

"Mar, vergeet je niet de Doopsgezinde Kerk af te zeggen? En de ziektekostenverzekering?" Ze legt het pasje op tafel.

Ik sta op de automatische piloot, knik ja. En denk: het lijkt wel alsof ze op vakantie gaat.

Dan komt Astrid binnen. En nog een arts die op de achtergrond zal blijven. Iris staat ook in de kamer.

Simon komt als laatste binnen. Mamma is blij als ze hem ziet. "Wat fijn dat je er bent."

Astrid: "Bent u zover?"

Mamma knikt. Beseft ze het wel? vraag ik me af. "Komt u maar op bed liggen." Als ze erop ligt, wordt het bed van de muur geschoven zodat iedereen erbij kan.

Ik zit op de rand van haar bed en houd haar hand vast.

Joke zit aan dezelfde kant.

Simon zit achteraf, bescheiden op het stoeltje met

tijgerprint bij het raam. “Marga’s stoeltje”, noemde ze dat altijd.

Tegen Simon: “Simon, kom hier, er is nog plaats op het bed. Je hoort erbij. Je bent als een zoon voor mij geweest.”

Het roze van haar ochtendjas schittert voor mijn ogen. Astrid legt nogmaals uit hoe het in zijn werk gaat. Eerst een spuit die haar in slaap brengt, dan één die haar hartspier stillegt. Mamma knikt. Ze heeft het begrepen.

“Dag mam”, zegt Joke.

“Dag.”

“Dag mam”, zeg ik.

“Dag.”

Als Simon haar gedag wil zeggen, dringt de tweede injectie al de bloedbaan binnen. “Au, dat doet pijn”, zegt ze.

En dan is ze van ons weg.

10 februari, 2012

NAWOORD

Zoals gezegd: ik was niet de regisseur van haar leven. Ik had het anders geschreven. Mijn laatste woorden voor haar zouden zeker niet "Au, dat doet pijn" zijn geweest. Ik had haar rustig laten inslapen, zodat wij, haar dochters en schoonzoon, haar langzaam hadden zien weggaan. Het zou een zacht vertrek zijn geweest, een sterven in glijdende schaal ingezet. Een dood die haar wiegend als een baby, teder en zacht, was komen halen. Zoals je wordt neergelegd in de armen van je moeder als je geboren wordt…

Eén ding kan ik wel schrijven: zij en ik, zij als regisseur van haar leven en ik van het mijne, hebben samen een mooi verhaal hebben neergezet. Dat van een moeder en een dochter die ondanks alle strijd van elkaar hielden en uiteindelijk dichter tot elkaar konden komen. En zo heeft ze uiteindelijk toch gelijk gehad: eind goed, al goed.